LUIS GUILLERMO GARCÍA GARCÍA

VOLEIBOL

EL SAQUE POR UN PUNTO DIRECTO

WANCEULEN
Editorial

WANCEULEN
EDITORIAL DEPORTIVA

©Copyright: Los autores

©Copyright: De la presente Edición, Año 2019 WANCEULEN EDITORIAL

Título: VOLEIBOL. EL SAQUE POR UN PUNTO DIRECTO
Autor: LUIS GUILLERMO GARCÍA GARCÍA

Editorial: WANCEULEN EDITORIAL
Sello Editorial: WANCEULEN EDITORIAL DEPORTIVA

ISBN (Papel): 978-84-17964-19-1
ISBN (Ebook): 978-84-17964-20-7

DEPÓSITO LEGAL: SE 1107-2019

Impreso en España. 2019

WANCEULEN S.L.
C/ Cristo del Desamparo y Abandono, 56 - 41006 Sevilla
Dirección web: www.wanceuleneditorial.com y www.wanceulen.com
Email: info@wanceuleneditorial.com

ÍNDICE

INTRODUCCIÓN 7

1. EL SAQUE 9

2. CLASIFICACIÓN DEL SAQUE 13

3. MÚSCULOS PARA EL SAQUE 14

4. PARTICULARIDADES DEL SERVICIO-SAQUE 16

5. LA TÉCNICA DEL SAQUE 17

6. LA FUERZAS FÍSICAS EN EL SAQUE 34

7. FISIOLOGÍA DEL SAQUE 37

8. BIOMECÁNICA EN EL SAQUE 39

9. SUPERFICIES DE CONTACTO EN EL SAQUE 42

10. ANTES DE QUE SUENE EL PITO 45

11. OBJETIVOS DEL SAQUE 47

12. CUALIDADES PSICOLÓGICAS MENTALES Y VALORES EN SAQUE 49

13. METODOLOGÍA DEL SAQUE 53

14. PRECAUCIONES EN EL LANZAMIENTO DEL BALÓN 58

15. ERRORES MÁS FRECUENTES DE LOS ENTRENADORES 59

16. UBICACIÓN DEL ENTRENADOR - CORRECCIÓN DE ERRORES........ 62

17. TÁCTICA INDIVIDUAL DEL SAQUE 64

18. REGLAMENTACIÓN DEL SAQUE SEGÚN FIVB 66

19. LA SELECCIÓN DEL SAQUE 69

20. EJERCICIOS FORMADORES PARA EL SAQUE 71

21. "PENSAQUE 2019" – INICIACIÓN............................ 72

22. "PENSAQUE 2019" – DESARROLLO POR ARRIBA 78

23. "PENSAQUE 2019" – AVANZADOS............................ 82

24. GUÍA SISTEMÁTICA DE OBSERVACIÓN DE FALLAS TÉCNICAS DEL SAQUE... 87

BIBLIOGRAFÍA 90

INTRODUCCIÓN

Siempre que un autor de un libro de técnica y en este caso del deporte del voleibol escribe, se enfrenta a una discusión general, sobre cómo llegarle a un lector con múltiples y diferentes opiniones. Un escrito útil sobre el saque en voleibol, siempre debe buscar la forma más práctica, vivenciada y experimentada "¡del cómo se debe hacer!". Sabiendo que sus explicaciones estarán lejos de ser perfectas. Por lo tanto, en mi caso es un aporte de muchos años como jugador, entrenador, profesor y docente universitario, en la búsqueda de una "técnica práctica perfecta, con una mezcla de múltiples observaciones, ejecuciones, errores y correcciones".

Esta es mi intención. He consagrado muchos años de vida al objetivo de estudiar para mejorar la enseñanza de esta técnica, he golpeado el balón miles de veces, he lanzado la pelota tantas oportunidades como jugadores han pasado por mi instrucción, he saboreado el éxito profundo de un saque en punto directo, y he saltado cientos de veces de alegría con un saque de un jugador propio, cuando por primera vez le pasa un saque por la malla, se de los desalientos de ellos cuando repiten y repiten un saque hasta madurarlo y perfeccionarlo. Y comprendo seriamente como esta técnica del saque servicio es hoy día el primer elemento ofensivo hacia un punto directo que debe ser tenido en cuenta en gran porcentaje del entrenamiento diario, pues de él depende en grado sumo el resultado final del juego.

Una intención que estará marcada durante todo el libro en pro de la técnica y su enseñanza, del conocimiento pleno de los segmentos corporales que intervienen en su ejecución, en lo mental y la concentración, en la mecánica del mismo, de los tipos y divisiones, en los ejercicios básicos, medios y avanzados para su progreso, de la estrategia, de las correcciones, de las observación.

Libro con intenciones al servicio de jugadores que desean aprender, progresar, corregirse. Libro con intenciones al servicio de profesores de escuelas colegios clubes, que lean, comparen, pongan en práctica y corrijan. Documento al servicio de la consulta académica y científica del deporte. Escrito al servicio de entrenadores que se interesen por otros conceptos diferentes. Libro que será de consulta para los estudiantes de Ciencias del Deporte y la Recreación de la Universidad Tecnológica de Pereira, en la cual presto mis sencillos y humildes servicios como docente.

Luis Guillermo García García

EDITORIAL WANCEULEN

1. EL SAQUE

Primer fundamento técnico que se enseña, primer elemento ofensivo que pone en el balón en juego, fundamento que nació con la creación del voleibol, elemento que ha experimentado muchos cambios en ejecución y en reglas. El objetivo del saque es obtener un punto directo de forma contundente y exacta sin necesidad de realizar una jugada donde intervienen ambos equipos.

El saque tiene como finalidad evitar que el equipo contrario pueda armar una jugada que le anote un punto, por lo cual esta herramienta técnica, debe convertirse en un balón difícil de recepcionar, difícil de armar. Debe simular al final un ataque, que contenga potencia, velocidad, dirección, y efecto.

Desde su creación, allá por los años 1895 inventado por el Licenciado en Educación Física el señor William G. Morgan, el cual lo pensó inicialmente en un servicio de golpe por abajo, hasta nuestros momento que se ejecuta en salto de forma potente alcanzando una velocidad máxima de 129 kilómetros por hora, la cual fue medida por este servidor en el campeonato mundial de clubes FIVB, 2015 Brasil ha sufrido innumerables cambios para bien del desarrollo del voleibol, servicio que hoy pretende arriesgar todo por el todo, en búsqueda de un punto directo.

Fundamento técnico por excelencia que necesita ser muy bien enseñado, desde las bases de formación: mini voleibol, principiantes con la precaución y la paciencia de respetar el proceso metodológico que nos asegure su aprendizaje real, y muy seguro, pue no debe quedar fallas, inseguridades que más tarde el juego de nivel desenmascare los errores de una pobre formación inicial.

Elemento que causa dificultad enorme en los principiantes, y más del género femenino, por su dificultad en lo que se refiere a la fuerza que ha de imprimirle, a la distancia que hay desde la zona del saque pasando por la malla y llegar al campo contrario, la técnica correcta y adecuada que mezcla los momentos los tiempos de los segmentos corporales, la visión periférica, con el contacto con el balón, todo esto relacionado con la precisión control y dirección hacia el objetivo que es el campo rival.

Por todo esto anterior, el saque servicio debe ser una técnica de mucho trabajo, repetición y entrenamiento, que ocupe mucho tiempo de la clase, de la práctica, del calentamiento y no ser otro elemento de cinco minutos de ejecución, debe dársele tiempo valioso de la instrucción, pues el voleibol moderno así lo necesita, así lo exige.

Hay discusión en el mundo del voleibol y su enseñanza por cuál debe ser el primer elemento técnico que se enseña, en mi apreciación el saque debe ser el primer fundamento que se orienta, por ser la puerta de salida al juego: si no hay servicio no hay inicio de juego. Adicional por ser el primer elemento técnico ofensivo de la disciplina del voleibol.

La palabra utilizada por la terminología oficial de la FIVB, (Federación Internacional de Voleibol) es **SAQUE** o **SERVICIO** en nuestro libro utilizaremos indistintamente ambas palabras en el trascurso del mismo.

Como el voleibol en sus inicios fue creado y tomado a partir de dos deportes de la época que fueron el baloncesto y el tenis, de este último es tomado el saque en su expresión más similar, como lo veremos más adelante cuando se escriba sobre los tipos de saque existentes.

Evolución histórica del saque

El servicio nace con la creación del voleibol en 1895 en Estados Unidos, pero fue inventado con el tipo de saque por debajo de la cabeza, y así se ejecuta por muchos años y por muchos países, teniendo en cuenta que la zona de saque es solo tres metros a partir de la línea de fondo a la derecha, los países asiáticos son los primeros que practican este deporte con mayor entusiasmo en sus inicios, y son ellos que en los inicios del siglo XX posterior a 1912 que utilizan un tipo de saque más fuerte y potente copiado del servicio que ya se utilizaba en la disciplina del tenis, como era el saque raqueta o tenis.

En la década del 1950 es el saque raqueta, el más utilizado, hasta finales de la misma que aparece el servicio floting de frente (norteamericano) un tipo de técnica que como veremos más adelante

EDITORIAL WANCEULEN

le apuesta a un golpe seco tenso y sin transporte cinemático del balón, el cual físicamente se deja influenciar fácilmente por las corrientes de aire existente en el momento, y hace que la recepción se dificulte.

Posteriormente en 1960 los asiáticos inventan una variación del anterior y realizan el saque floting lateral conocido en ese tiempo como "asiático" causando gran interés por todos los mejores equipos y países del mundo que practicaban esta disciplina. Para los 1970 en adelante se utilizan los anteriores pero con variaciones de fuerza, efecto y dirección. Adicional hasta el momento se disponía de un intento de saque como lo tiene el reglamento actual del servicio en tenis, que consistía en lanzar el balón al aire y tomar la decisión de golpear o no, esto por causas de mal lanzamiento, corrientes de aire o solo por distracción del contrario. Hoy día no está permitido, y balón lanzado al aire debe ser goleado y ejecutado, de lo contario se penalizara cediendo el servicio al equipo rival.

En 1977 se crea la regla del bloqueo para el servicio que influye de forma táctica en la ejecución, pues ya los saques no podrían ser muy rasantes a la malla.

Y es que después de los juegos olímpicos de Moscú 80 aparece el saque en salto fuerte siendo los brasileños los mejores exponentes del planeta y los cubanos marchando a la par mundial. Poco después los norteamericanos inventan el saque en salto pero floting suave, ejecutado desde la línea de saque, con grandes éxitos.

En el año de 1999 el reglamento internacional favorece el saque con la posibilidad de que toque la malla y eso si la traspase y quede en terreno contrario causando variaciones notables en la potencia del golpe y sobre todo en la recepción contaría, teniendo en cuenta los mismos ocho segundos que se tiene para golpear el balón después del sonido orden del juez con su pito.

Evolución histórica del reglamento del saque

1949 El jugador al saque puede correr y saltar antes de sacar.

1951 El jugador al saque puede caer dentro del campo después del golpe y la zona del mismo es ilimitada hacia atrás.

1961 No se puede hacer pantalla sobre el saque propio.

1977 Se permite bloquear el servicio.

1994 La zona de saque se amplia de tres metros a los nueve metros totales de la línea de fondo.

1998 Con la implantación del nuevo sistema de puntuación: Rally Point todo saque obtendrá un punto ya sea para el equipo al turno, o para el equipo contario al fallar la ejecución.

1998 Abolición de la tentativa de saque.

1999 El balón puede tocar y pasar la malla.

Como podemos notar, son muchos los cambios que ha experimentado el saque en el correr de los años, que producen cambios a nivel técnico y táctico, los cuales deben ser explorados, practicados, investigados, corregidos, para su posterior ejecución en un partido oficial. Pero todo en busca de desarrollar el voleibol a nivel mundial, esto quiere decir que la evolución del mismo ha permitido el mejoramiento de su nivel, en búsqueda de un punto directo y sin escalas o rallys consecutivos, ocasionando que este fundamento técnico sea de gran relevancia en los tiempos de practica-entrenamiento cotidiano, con un cuidado y perfeccionamiento de la enseñanza de su técnica en los principios de formación y fundamentación.

2. CLASIFICACIÓN DEL SAQUE

SAQUE POR ABAJO	**SAQUE DE FRENTE**
	SAQUE LATERAL
	SAQUE VELA-COHETE
SAQUE POR ARRIBA	**TENIS RAQUETA DE FRENTE**
	ASIÁTICO LATERAL
	FLOTING FLOTANTE
	SALTANDO FUERTE
	SALTANDO FLOTING

Clasificación propia de este autor, y con la cual se pretende diferenciar muy bien los dos tipos de servicio: por debajo de la cabeza que están dirigidos primordialmente a jugadores principiantes y por arriba de la cabeza que están referidos a jugadores ya formados y con un buen tiempo de entrenamiento. Dentro de esta división y tipos de saque, se encuentran algunos que ya no son muy utilizados pero que en mi experiencia como entrenador aún se ejecutan de manera muy localizada como para poblaciones de jugadores que les es más cómodo sacar de frente lateral o también como el saque asiático en damas orientales. Es de resaltar que los servicios saltando fuerte y floting son los más ejecutados por los jugadores masculinos de talla mundial, estudio hecho por este autor en el mundial de clubes 2105 Brasil, de 1517 saques realizados se ejecutaron 661 saltando flotante y 856 saltando fuerte, para ningún saque desde el piso.

3. MÚSCULOS PARA EL SAQUE

Articulación de la muñeca:

MÚSCULO	MOVIMIENTO
Flexor Radial del Carpo	Flexión
Flexor Ulnar del Carpo	Flexión
Palmar Largo	Flexión

Musculacao para o voleibol LUIS CLAUDIO BOSSI (2008)

Articulación del codo:

MÚSCULO	MOVIMIENTO
Tríceps	Extensión
Anconeo antebrazo	Extensión

Musculacao para o voleibol LUIS CLAUDIO BOSSI (2008)

Articulación del hombro:

MÚSCULO	MOVIMIENTO
Deltoides Clavicular	Flexión
Corobraquial	Flexión
Pectoral Mayor	Flexión

Musculacao para o voleibol LUIS CLAUDIO BOSSI (2008)

Articulación cintura escapular:

MÚSCULO	MOVIMIENTO
Elevador de Escápula	Elevación
Trapecio descendente	Elevación
Serrato Anterior	Elevación

Musculacao para o voleibol LUIS CLAUDIO BOSSI (2008)

EDITORIAL WANCEULEN

Articulación de la columna:

MÚSCULO	MOVIMIENTO
Recto del Abdomen	Flexión
Oblicuo Interno y Externo	Flexión

Musculacao para o voleibol LUIS CLAUDIO BOSSI (2008)

Articulación de la cadera:

MÚSCULO	MOVIMIENTO
Glúteo Máximo	Extensión
Glúteo Medio	Extensión
Bíceps Femoral cabeza Larga	Extensión
Semitendinoso	Extensión
Semimembranoso	Extensión
Aductor Magno Fibras Posteriores	Extensión

Musculacao para o voleibol LUIS CLAUDIO BOSSI (2008)

Articulación de la rodilla:

MÚSCULO	MOVIMIENTO
Recto del Fémur	Extensión
Vasto Lateral	Extensión
Vasto Intermedio	Extensión
Vasto Medial	Extensión

Musculacao para o voleibol LUIS CLAUDIO BOSSI (2008)

4. PARTICULARIDADES DEL SERVICIO-SAQUE

Considerando que el lanzamiento del balón en la ejecución del saque es la acción más dificultosa para los principiantes y en especial para las damas, y que hará que la efectividad del mismo sea influenciada enormemente por este aspecto, ocupará un momento metodológico muy importante en su enseñanza en este libro y es que posicionar el balón de forma exacta con intenciones básicas de solo pasar la pelota, o con intenciones tácticas de realizar un punto directo, será decisivo en el resultado de la jugada. Y se cumple para cualquier tipo de saque, donde debe existir una armonía entre la altura de lanzada del balón con respecto a lugar del golpeo y del cuerpo del ejecutante. Gran cantidad de principiantes cometen errores comunes como golpear antes de lanzar, golpear a un tiempo ya de bajada considerable del balón, y es que aquí se cumple y se es más efectiva aquella herramienta de la física que nos habla del ángulo de alcance máximo que es 45° grados. Por lo tanto ocupa una inicial enseñanza de la técnica del saque, en hacer énfasis y repetición continua en la coordinación del lanzamiento, la altura, el momento del golpeo, el sector del balón impactado, la superficie con la que se golpeará y el tipo de servicio a realizar. Al alumno hay que indicarle fundamentalmente dónde, cuándo, y cómo lanzar el balón.

Un estímulo grandioso para estos jóvenes es pasar el balón por la red o malla, pero para lo cual inicialmente se les facilitara el camino, y se hará desde posiciones cercanas a la malla, como tres metros, cinco metros 7 metros hasta llegar a los 9 metros reglamentarios.

Algo de gran importancia hoy día en el mundo, es que se busca que los jóvenes principiantes primero realicen los servicios por debajo de la cabeza, como un inicio metodológico, acertado comparado con el gatear primero que caminar. Esto dará una fundamentación muy sólida, para cuando este llegue al perfeccionamiento de la técnica del saque por arriba, hoy día muchos jugadores ya maduros no ejecutan el saque por abajo, correctamente, pues su fundamentación no fue bien estructurada en base técnica del saque.

5. LA TÉCNICA DEL SAQUE

También llamado servicio, es el elemento técnico que primero se enseña. Con relación a ser el gesto por donde inicia el juego de voleibol y por ser el primer fundamento ofensivo con que arranca toda acción en el terreno.

En sus inicios tenía el objetivo central de poner el balón en juego, hoy al ser objetivo de un punto directo, y de ser causante de dificultar la organización del ataque contrario, se ha convertido en un fundamento técnico, de gran carácter ofensivo.

A. TIPOS DE SAQUES POR ABAJO

- De frente o de iniciación
- Lateral
- Cohete o vela

A.1. SAQUE POR ABAJO DE FRENTE

Servicio indicado para principiantes, También llamado de seguridad. Los expertos recomiendan que sea el primer saque que se enseña a los jugadores que inician en este. Deporte

DESCRIPCIÓN DEL GESTO

✓ **Antes del contacto**

1. Jugador frente a la malla en posición media
2. Punta de pie adelantado en la dirección de la trayectoria de saque del balón
3. Sujeción del balón con la mano contraria al brazo ejecutor.
4. Brazo que golpea se encuentra atrás y arriba semi extendido, piernas en forma de paso aproximadamente al ancho de los hombros.
5. La pierna contraria al brazo que golpea se encuentra más adelantada que la otra.
6. Rodillas levemente flexionadas
7. Cadera de forma leve hacia atrás
8. Tronco inclinado hacia adelante
9. Cabeza y mirada al frente con el objetivo a dirigir

EDITORIAL WANCEULEN

✓ Durante del contacto

1. Brazo que no golpea, lanza el balón adelante del cuerpo aproximadamente entre tronco y cabeza

2. Brazo que golpea, con movimiento pendular y extendido desde atrás y arriba hacia adelante.

3. La articulación del codo no se flexiona

4. El balón es golpeado con mano abierta, con puño o en forma de cuchara, entre el frente y la parte inferior de éste.

5. El balón es golpeado cuando se encuentra a nivel del tronco y rodillas.

6. La pelota es golpeada con un movimiento pendular del brazo ejecutor desde atrás-adelante-arriba.

7. El balón es golpeado siempre por delante y de frente del cuerpo.

8. En el transcurso o momento del contacto, la pierna posterior se desplaza hacia adelante, para terminar la cadena cinemática y aumente la potencia del golpe.

9. La mirada está centrada siempre en el balón y su dirección.

✓ Después del Golpe

1. La dirección del desplazamiento del cuerpo después del golpe es hacia delante y arriba.

2. La punta del pie anterior está en dirección al objetivo o blanco del saque.

3. El cuerpo termina en posición de juego en el campo de acción.

4. La mirada siempre en la trayectoria del balón.

A.2. SAQUE POR ABAJO LATERAL

Este tipo de servicio de seguridad, hoy día no es muy común su enseñanza en los jugadores principiantes, como si lo es para una cierta población que manifiesta su facilidad de ejecución, por encontrar que su posición lateral brinda una mayor efectividad en los aciertos de estos novatos, por lo cual analizaremos a continuación.

DESCRIPCIÓN DEL GESTO

✓ Antes del golpe

1. Jugador con el hombro del brazo que sostiene el balón, en forma perpendicular a la malla en posición media.
2. Piernas separadas más o menos al ancho de los hombros con ligera flexión de la que está más lejana a línea de saque.
3. Cadera un poco atrás
4. Tronco levemente inclinado hacia adelante.
5. Brazo que no golpea, sostiene el balón
6. Brazo que golpea, se encuentra extendido atrás y abajo
7. Cabeza y mirada en el balón

✓ Durante el Golpe

1. El brazo que sostiene el balón, lo lanza al frente y un poco arriba de la cabeza por delante.
2. El brazo que golpea realiza un movimiento lateral de atrás hacia adelante y de abajo hacia arriba.
3. El peso del cuerpo se sustenta sobre la pierna flexionada y más lejana de la línea de saque.
4. Mano que contactará al balón en forma de cuchara, con puño o mano abierta.

EDITORIAL WANCEULEN

5. Balón que es golpeado entre el frente y su parte inferior.

6. El balón en contactado entre el tronco y las rodillas por el frente del cuerpo.

7. En el momento del contacto, la pierna flexionada o más lejana se desplaza lateralmente hacia adelante.

8. La mirada en el contacto del balón.

✓ Después del golpe

1. La dirección del desplazamiento del cuerpo después del contacto es hacia adelante y arriba.

2. El cuerpo termina en posición de juego al entrar al terreno.

3. La mirada en la trayectoria del balón.

A.3. SAQUE DE VELA O COHETE

Servicios utilizados en diferentes etapas y épocas del voleibol. En sus inicios fue muy practicado en voleibol de playa, y luego en piso por jugadores de categorías más jóvenes. Hoy día se ejecuta como un repertorio individual recreativo que a veces tienen finalidades estratégicas en condiciones atmosféricas y deficiencias en la recepción del equipo contrario. Es un saque muy similar en ejecución al servicio de frente por abajo.

Su enseñanza ya no es muy frecuente, pero lo analizaremos de forma breve y con objetivos más recreativos.

✓ Antes del Golpe

1. Pies en dirección de la trayectoria del balón.
2. Piernas separadas a una distancia más o menos el ancho de los hombros.
3. Rodillas con flexión acentuada
4. Trompo inclinado hacia adelante, cuerpo en posición muy baja.
5. Brazo que no golpea sostiene el balón
6. Brazo que golpea, se encuentra atrás y arriba semi extendido
7. Mirada al objetivo de llegada del balón.

✓ Durante el Golpe

1. Brazo que lanza el balón al frente, entre los hombros y las rodillas
2. Brazo que golpea con una acción pendular describiendo un movimiento desde atrás y arriba hacia muy arriba
3. Hay flexión acentuada del codo
4. El balón es golpeado en su pare muy inferior con fuerte potencia.
5. Se golpea con mano abierta, o en forma de cuchara y con el puño también

6. Simultáneamente al contacto, la pierna más alejada se adelante en forma de paso.

✓ Después del Golpeo

1. La dirección del desplazamiento del cuerpo después del golpe es hacia adelante y arriba.
2. La punta del pie anterior está en dirección del terreno en posición del juego.
3. La mirada en la trayectoria del balón.

B. TIPOS DE SAQUE POR ARRIBA

- Saque de frente (Saque de tenis – Raqueta)
- Saque flotante (Floting)
- Saque gancho (Asiático)
- Saque en suspensión (Saltando): Fuerte y floting

B.1. SAQUE DE FRENTE (TENIS)

Llamado así en similitud al servicio que se ejecuta en el deporte del tenis. Este marcó las épocas de 1.940 a 1.960, presentándose en todos los juegos como el gesto más usual para sacar de forma fuerte.

DESCRIPCIÓN DEL GESTO

✓ Antes del Golpe

1. Cuerpo del jugador, frente a la malla en posición media
2. Punta del pie que está adelantado, en dirección a la trayectoria del saque
3. Piernas en forma de paso, separadas más o menos el ancho de los hombros, con rodillas en leve flexión
4. La pierna contraria, al brazo que golpea, se encuentra más adelantada que la otra.
5. El balón se sostiene, con una o 2 manos.

6. El balón es lanzado, con una o ambas manos, por encima del hombro y al frente (aproximadamente por encima de la cabeza).

7. El brazo que golpea, puede estar extendido en la parte superior al frente.

8. Tronco inclinado hacia adelante

9. Mirada en el lanzamiento del balón

✓ Durante el Golpe

1. Lanzamiento del balón (con una o ambas manos), por encima de la cabeza y al frente del hombro del lado ejecutor.

2. Al levantar el balón, se desplaza el peso corporal sobre la pierna posterior de apoyo, con una torsión del tronco (arqueamiento).

3. Simultáneamente al lanzamiento del balón, el desplazamiento del brazo que golpea, será hacia atrás, arriba y adelante.

4. Durante el golpe, el cuerpo se desplaza, desde atrás hacia adelante, del brazo ejecutor.

5. El cuerpo se mantiene completamente extendido, en el momento del contacto.

6. El balón es golpeado con la mano abierta, con puño, o en forma de cuchara.

7. El balón es contactado, entre el frente y su parte inferior.

8. La mirada está dirigida, necesariamente al contacto del balón.

✓ **Después del Golpe**

1. La dirección del desplazamiento del cuerpo, después del impacto del balón, es hacia adelante y arriba
2. El cuerpo termina en posición de juego en el campo.
3. La mirada continúa en la trayectoria del balón.

EDITORIAL WANCEULEN

B.2. SAQUE FLOTANTE (FLOTING)

A finales de la década de 1.950 se introdujo en nuestra región americana, el saque flotante de frente, (Norteamericano) creado como alternativa de servicio diferente, pues durante su vuelo la trayectoria variará constantemente, haciendo que el equipo adversario no pueda determinar fácilmente su zona de caída.

El efecto flotante del balón, se logra en la medida en que se contacte al balón de manera potente, rápida, seca y sin transporte o desplazamiento del mismo, con la palma tensa o rígida.

A partir del año 1.960 los japoneses, dan origen al flotante y lateral gancho o asiático, de manera muy bien ejecutada y perfeccionada, lo cual hizo que los mejores equipos se apropiaran de este saque.

DESCRIPCIÓN DEL GESTO

✓ Antes del Golpeo

1. Cuerpo en posición media frente a la red.
2. Punta del pie adelantado, en dirección a la trayectoria del balón.
3. Piernas en forma de paso, al ancho de los hombros.
4. Rodillas en semi flexión moderada.
5. La pierna contraria al brazo ejecutor, se encuentra más adelantada.
6. El balón se sostiene con una mano a la altura de la cabeza.
7. El brazo que golpea, flexionado a la altura de la cabeza.
8. Mirada al objetivo del balón.

✓ Durante el Golpeo

1. La dirección del desplazamiento del cuerpo, después del contacto, es hacia adelante.

2. El balón es lanzado arriba de la cabeza al frente una altura considerable la longitud del brazo ejecutor.

3. El brazo que contacta el balón describe dos posible direcciones: de atrás arriba hacia adelante arriba. Y la segunda es al estilo Cubano femenino que consiste en tener el brazo ejecutor ya listo arriba muy cercano del balon elevado por la otra mano.

4. La pelota es golpeada en todo su sector frontal.

5. La fuerza de impacto es seca, tensa, y sin acompañamiento del brazo, al estilo látigo, o retráctil.

6. La punta del pie adelantado, está en dirección al objetivo del balón.

7. El cuerpo termina en posición de juego dentro del campo de voleibol

8. La mirada sigue la trayectoria del balón

EDITORIAL WANCEULEN

B.3. SAQUE GANCHO

DESCRIPCIÓN DEL GESTO

✓ Antes del contacto o Golpe

1. La posición del cuerpo es de forma lateral, con hombros del brazo que sostiene el balón, en forma perpendicular a la red.
2. Piernas en forma paralela; semi flexionadas, separadas al ancho de los hombros.
3. Balón sostenido, por la mano contraria al brazo ejecutor
4. Flexión y torsión dorsal, del cuerpo hacia un lado
5. Brazo que golpea, sale de abajo y al lado del muslo
6. Mirada hacia el campo contrario y al contacto del balón

✓ Durante el Contacto o Golpe

1. Balón lanzado, por encima de la cabeza: con una altura más o menos la longitud del brazo ejecutor.
2. Con flexión de piernas y torsión del tronco lateral
3. El brazo que golpea, impacta al balón en sector superior.
4. Por encima de la cabeza es golpeado el balón.
5. Al momento del contacto, se realiza una flexión de la articulación de la muñeca hacia abajo.
6. El balón es golpeado con la mano abierta o con el lomo de la mano.
7. La mirada puesta en el contacto con el balón.

✓ Después del Golpe

1. El cuerpo termina en posición de juego, en su campo de juego.
2. La mirada continúa en la trayectoria del balón.

B.4. SAQUE EN SUSPENSIÓN

También llamado en salto, saltando, o en suspensión. La utilización de éste ha desplazado a la mayoría de servicio en el voleibol moderno y elite. En este gesto técnico el balón se desplaza a gran velocidad y con efecto, según el tipo de golpe. El saque en salto imprime al balón una trayectoria parabólica descendente y gran potencia que lo asemeja al remate. Los brasileros mostraron por primera vez este servicio al mundo en la década de los años 1.980, produciendo en el mundo entero una inclinación superior hacia su práctica, perfeccionamiento y puesta en juego en todos los equipos.

Hoy día este saque representa el primer momento ofensivo de obtención de puntos. Los americanos luego introdujeron una variante a éste, como fue el servicio saltando en flotante.

DESCRIPCIÓN DE GESTO

✓ **Antes del Golpe**

1. Jugador en posición alta, frente a la red.
2. Pies en forma de paso.
3. Punta de pies, en dirección a la trayectoria del balón.
4. Balón sostenido, con una o ambas manos.
5. Cuerpo del jugador, separado de la línea de saque, aproximadamente entre 3 y 5 metros.
6. Mirada al frente.

✓ Durante el Golpe

1. El lanzamiento del balón, puede ser con una o ambas manos.
2. El balón es lanzado de manera notable, hacia adelante, en dirección del terreno de juego.
3. El balón es lanzado, con efecto rotatorio hacia arriba y adelante, de forma simultánea, se produce el primer paso de la carrera.
4. Antes de saltar, se realiza un movimiento de desplazamiento de los dos brazos, desde el frente y hacia arriba. El cuerpo queda en total suspensión.
5. En el golpeo, la mano abarca, la superficie superior del balón, haciéndole rotar de arriba hacia abajo.
6. La mirada estará dirigida hacia el contacto del balón.

✓ Después del Golpeo

1. Después de la carrera y salto, el cuerpo cae en el terreno de juego con ambas piernas en punta y después el talón.
2. Amortiguar la caída con una leve flexión de rodillas.
3. El cuerpo queda en posición de juego.

B.5. SAQUE FLOTANTE (FLOTING) EN SALTO

DESCRIPCIÓN DE GESTO

✓ Antes del Golpe

1. Jugador en posición de salto, frente a la red pero en la línea de saque
2. Pies en forma de paso.
3. Punta de pies, en dirección a la trayectoria del balón.
4. Balón sostenido, con una o ambas manos.
5. Cuerpo del jugador, separado de la línea de saque, aproximadamente un paso
6. Mirada al frente.

✓ Durante el Golpe

1. El lanzamiento del balón, puede ser con una o ambas manos.
2. El balón es lanzado hacia arriba y al frente, en dirección del terreno de juego.
3. El balón es lanzado y de forma simultánea, se produce el primer paso de la carrera.
4. Antes de saltar, se realiza un movimiento de desplazamiento de los dos brazos, desde el frente y hacia arriba. El cuerpo queda en total suspensión.
5. En el golpeo, la mano abarca, el sector frontal del balón.
6. Balón contactado de forma seca tensa fuerte en el frente, sin transporte de brazo en la trayectoria del objeto.
7. La mirada estará dirigida hacia el contacto del balón.

✓ Después del Golpeo

1. Después del salto, el cuerpo cae en el terreno de juego con ambas piernas en punta y después el talón.
2. Amortiguar la caída con una leve flexión de rodillas.
3. El cuerpo queda en posición de juego.

6. LA FUERZAS FÍSICAS EN EL SAQUE

Las fuerzas que actúan sobre el balón deben describirse matemáticamente. "Consideramos las tres fuerzas más importantes en el orden de su influencia sobre la bola: primero la fuerza debida a la gravedad, luego la resistencia del aire y, finalmente, la fuerza del giro" (Dan Lithio, Hope College, 2006)

LA GRAVEDAD

El efecto que tiene la gravedad sobre los cuerpos se denomina peso.

El peso no es una propiedad de los cuerpos, sino que es el resultado de la interacción de éstos con la Tierra. En otras palabras, el peso es una fuerza. Dicha fuerza se representa como una flecha que siempre se dirige hacia abajo, hacia el centro de la Tierra.

Comúnmente, las personas confunden los términos peso y masa.

Debes saber entonces, que la masa sí es una propiedad de los cuerpos, y se refiere a la cantidad de materia que posee un cuerpo.

La magnitud de la fuerza debida a la gravedad es mg en la dirección y negativa, donde m es la masa de la bola y g = 9,807 m/s² es la aceleración debida a la gravedad. Como no hay fuerza en la dirección x, las ecuaciones de fuerza son: Fx = 0 Fy = −mg. Sin fuerza horizontal, la bola se moverá con velocidad constante en la dirección x desde el momento en que se sirve hasta el momento en que aterriza.

LA GRAVEDAD + LA RESISTENCIA DEL AIRE

Es una fuerza que se opone al movimiento del balón. La fuerza siempre actúa en una dirección opuesta a la dirección de la velocidad, y su magnitud es proporcional al cuadrado de la velocidad. El origen de la resistencia del aire es debido a las moléculas de gas (o líquido) que interaccionan con un objeto en movimiento Esta fuerza depende de: Tamaño (área) de la pelota. Velocidad del balón.Cuanto mayor es el tamaño o la velocidad, mayor la resistencia.

EDITORIAL WANCEULEN

GRAVEDAD+FUERZA DE GOLPEO+ GIRO

El balón se observa horizontalmente con giro superior, es decir, la parte superior de la pelota gira en la misma dirección que el movimiento de traslación del balón. Se está moviendo a través de moléculas de aire individuales mientras gira. En la parte superior de la bola, las moléculas de aire son arrastradas hacia adelante por la bola que gira. Sin embargo, el aire también se empuja hacia atrás a medida que la balón, en su conjunto, se mueve. Así, las moléculas de aire se acumulan en la parte superior de la bola. En la parte inferior de la bola, esto no ocurre. El giro de la bola compensa el movimiento de la bola como un todo, empujando las moléculas de aire hacia atrás del balón para que no se acumule. Esta diferencia en la acumulación de moléculas de moléculas crea una presión más alta en la parte superior de la pelota. Por lo tanto, una bola, que se mueve por el aire con giro hacia arriba, experimentará una fuerza hacia abajo debido al giro, lo que hace que la bola caiga al suelo más rápido de lo que lo haría sin girar. Los sacadores suelen utilizar el giro superior.

Aumentar la altura del servicio disminuye el tiempo total solo un poco. Aumentar la distancia total tiene un gran efecto en el tiempo óptimo. Girar la pelota también tiene un efecto medible. Por lo tanto, el servicio con el tiempo mínimo en el aire se golpea cuando el balón se golpea con la mayor cantidad de vueltas hacia la línea final. Si el servidor desea servir en campo cruzado, esto no afecta el tiempo total, pero puede usarse para servir el balón más duro y tal vez atrapar a la defensa fuera de guardia.

El tiempo en el aire del balón puede reducirse aún más si se da el giro máximo al golpeo. Esto hace que la pelota experimente una fuerza aerodinámica conocida como el efecto Magnus, que "empuja" la pelota hacia abajo para que caiga más rápido. Esto complica la física del análisis del voleibol. La siguiente figura ilustra el efecto Magnus.

A medida que la bola gira, la fricción entre la bola y el aire hace que el aire reaccione a la dirección de giro de la bola.

A medida que la bola se somete a un giro superior (que se muestra como una rotación en el sentido de las agujas del reloj en la figura), la velocidad del aire alrededor de la mitad superior de la bola se vuelve menor que la velocidad del aire alrededor de la mitad inferior de la bola. Esto se debe a que la velocidad tangencial de la bola en la mitad superior actúa en dirección opuesta al flujo de aire, y la velocidad tangencial de la bola en la mitad inferior actúa en la misma dirección que el flujo de aire. En la figura que se muestra, el flujo de aire es hacia la izquierda, en relación con la bola.

Dado que la velocidad del aire (resultante) alrededor de la mitad superior de la bola es menor que la velocidad del aire alrededor de la mitad inferior de la bola, la presión es mayor en la parte superior de la bola. Esto hace que una fuerza neta hacia abajo (F) actúe sobre la pelota. Esto se debe al principio de Bernoulli, que establece que cuando la velocidad del aire disminuye, la presión del aire aumenta (y viceversa).

La bola tiene surcos poco profundos a lo largo de su capa exterior que afectan la forma en que el aire se mueve alrededor de la bola. Cuando se golpea con fuerza sin girar, la pelota tiende a soplar en el aire, moviéndose erráticamente a medida que desciende hacia el suelo (saque floting). Este movimiento, si bien es importante tener en cuenta a la hora de recibir una recepción.

Imprimir una rotación hacia delante o "top spin" en el golpeo durante el saque, por ejemplo, va a conseguir una trayectoria más corta y permitirá que llegue antes al suelo. Para conseguir este efecto, debe contactarse el balón en la parte superior y acompañar el movimiento con una flexión de la muñeca.

7. FISIOLOGÍA DEL SAQUE

El volumen de acciones en el voleibol está caracterizadas en esfuerzos intermitentes, que contemplan acciones motoras de corta duración (0 a 10 segundos), teniendo pausas que varían de 10 a 20 segundos, con repeticiones en relación al número de sets realizados por partido.

En cuanto a la intensidad, se observa una alternancia entre moderada, sub máxima y máxima, que depende de las funciones tácticas del juego, en el tipo de movimiento ejecutado y y de las posiciones en ataque y defensa.

El voleibol desde el punto de vista fisiológico es considerado un deporte intermitente con solicitudes de varias fuentes energéticas, pues alternan trabajos activos (rallys) con esfuerzo máximo a moderado y periodos de recuperación, también acciones pasivas con intensidades moderadas bajas.

Diversos estudios mundiales sobre la concentración de lactato sanguíneo nos muestran como los cambios antes y después del partido son aumentos muy ligeros por ejemplo el de Viitasalo, Rusko e Pajala con jugadores de la selección finlandesa masculina con valores medios de 2 a 3,05 mMo/L para los atletas. Otro con jugadores alemanes muestra aumentos leves como son los estudios de Kunstlinger, Ludwing y Stegemann que van de 2,54 a 2,61 mMo/L.

Debe considerarse que los requerimientos energéticos más solicitados para el voleibol son provenientes del metabolismo anaeróbico, con mayores contribuciones energéticas del sistema ATP+PC para un partido de voleibol, y es que será necesario disponer de ese sistema en los músculos para la manutención y sustentación de trabajos próximos a un sub máximo, potenciando la resintesis da CP durante los periodos de recuperación por medio de la contribución del sistema aerobio.

La respuesta cardiorrespiratoria tiene pocos estudios actualmente, los que existen sugieren que un voleibolista presenta diferentes respuestas durante las fase de saque, ataque defensa y juego medio Fardy et al, encontró que cambios notables en la FC frecuencia cardiaca en relación a acciones específicas de los jugadores, donde en el saque la FC era de (106 a 116), con relación al remate que era de (114 a 176) al pase colocación de (112 a 126) y a la defensa del saque (108 a 131).

Las variaciones encontradas pueden ser explicadas por la naturaleza intermitente o por la alternancia de intensidades del esfuerzo de las situaciones. Que como el mismo sistema rotacional de jugadores lo exige, es decir, un jugador que de la zona delantera pasa al servicio, viene de una frecuencia cardiaca elevada, para experimenta un lazo de pausa, y ejecutar el saque, donde ya la FC está a niveles de 108, estas variaciones intermitentes del jugador reflejan la gran variedad de momentos tanto en los sub máximos de la frecuencia cardiaca y los de baja, con los momentos de pausa y recuperación. Así las capacidades de trabajo de los jugadores de voleibol exaltan la capacidad de ejecutar esfuerzos intensos de corta duración (desempeño anaeróbico), sustentado por capacidades de recuperación debido a esos esfuerzos intensos (desempeño aeróbico).

El Voleibol tiene una duración prolongada y no determinada, ya que se juega por tantos y set y no por tiempo, puede durar de 45 minutos a 2 horas por lo que se puede decir que se encuentra en una zona de potencia moderada, en contantes cambios de movimientos, en la transición de la defensiva a la ofensiva, con diversas variaciones de las situaciones del juego así como de las posiciones en el espacio. Existe una gran necesidad de las respuestas rápidas frente a las acciones del compañero y contrarios así como los movimientos veloces del balón.

Todas las actividades del organismo están condicionadas por el sistema nervioso. La adecuada acción motora que ejecuta el voleibolista y su correcta ubicación en el espacio, es posible gracias a la capacidad del sistema nervioso central que se caracteriza por la formación de nuevas relaciones temporales de carácter reflejo condicionadas destinadas a la sucesión de nuevas acciones motoras.

8. BIOMECÁNICA EN EL SAQUE

GOLPE

Primero el cuerpo del atacante debe enderezarse e inmovilizarse entonces se suceden tres actos en uno mismo. Un brazo (el que golpea) se encuentra flexionado al lado de la cabeza (codo señala hacia arriba), el otro semi flexionado se encuentra delante y a la altura de la cara (mantiene el equilibrio del cuerpo). El brazo describe un movimiento rápido hacia delante y arriba golpeándose con la mano abierta con flexión supina de la muñeca Esta mano abierta toma la forma del balón. En este momento el brazo debe estar extendido (mayor altura en el golpeo). El brazo desciende por delante del cuerpo.

FUERZAS QUE ACTÚAN

- **Fuerza externa:** Resistencia del aire. La fuerza gravitacional actúa como una fuerza exterior.

- **Fuerza interna:** Son las que ejecutan los músculos y articulaciones que intervienen en la ejecución de este movimiento:

  - *Fuerza de Impacto:* aquella que le imprime la mano al balón, ya sea en el saque por abajo o por arriba, y que puede ser con la mano abierta, el puño, lomo de mano, o al estilo cuchara o mano cóncava.

  - *Fuerza de presión:* es aquella que se ejecuta al balón, según el sector golpeado del balón, y con una cualidad táctica que es una presión constante pura, tensa

TIPOS DE PALANCAS

En este gesto hay acción de palancas de **primer y segundo grado.**

TIPOS DE MOVIMIENTOS QUE GENERAN ESTAS PALANCAS

En esta fase de la técnica hay 2 tipos de movimientos o etapas donde actúan diversas articulaciones:

– **Armado de brazo:** La etapa de armado constituye una preparación en la que los músculos que intervienen en el golpe se tensan para esta acción generando una contracción excéntrica.

– **Impulso:** La fuerza de contracción en esta etapa es elevada, se produce rotación interna del brazo, extensión del codo y flexión de la muñeca, además esta última colabora en dar la dirección correcta al balón.

ACCIÓN MUSCULAR

Los músculos que intervienen en estos movimientos son:

- Armado

- Impulso

CADENA CINEMÁTICA

De acuerdo a Bellendier (2002), "La mecánica general de la cadena cinemática implicada en el golpe, tiene cierta similitud con el modelo del saque en el tenis, cuando éste se realiza en suspensión":

a. Rotación de la cadera alrededor del eje vertical

b. Desplazamiento hacia delante y rotación del tronco

c. Flexión y rotación de hombro

d. Extensión del codo y pronación del antebrazo

e. Flexión de muñeca.

Como puede observarse en esta fase de la técnica hay una acción coordinada de varias articulaciones que participan en el movimiento de manera sucesiva. Este movimiento tiene un tipo de cadena cinemática abierta. (Ramificada)

GRADO CINEMÁTICO

Al analizar los movimientos de esta fase de la técnica, se puede observar que la capacidad de desplazamiento de los segmentos del cuerpo se ejecuta en dos planos, sagital y horizontal, por lo tanto posee dos grados cinemáticos.

9. SUPERFICIES DE CONTACTO EN EL SAQUE

Cumpliendo las reglas oficiales de juego, el deporte del voleibol permite cualquier parte del cuerpo para contactar al balón, pero en el caso del saque no está permitido ejecutar el servicio con las extremidades inferiores.

El impacto al balón debe ser solo en un sector del mismo, diametralmente opuesto a la trayectoria deseada paralela al suelo o ascendente (Hernández, 1996) y en primera opción con la mano abierta tensa con otra variante como el puño tenso y por último la forma Cubana de la mano en forma cóncava (cuchara). La ejecución o golpeo es muy rápida con una trayectoria del brazo ejecutor de forma circular de atrás —abajo-arriba y adelante en situación uniformemente acelerada hasta contactar el balón de forma tensa, al terminar el golpe la el brazo describirá una trayectoria parecida al de la pelota, esto como terminación de la cadena cinemática, evitando lesiones en el frenado seco y brusco del movimiento.

Durante el contacto con el balón en el servicio se presentan dos superficies de contacto: que son el balón oficial de juego y la mano con su brazo que sirve de palanca. Clasificaremos dichas superficies según los tipos de saque ya mencionados anteriormente.

- Saque por debajo de frente
  - Balón: el sector contactado es entre abajo y el frente.
  - Mano: se golpea con la mano abierta, con el puño o con la mano
  - Cóncava (cuchara)
- Saque por abajo lateral
  - Balón: el sector golpeado es entre abajo y el frente
  - Mano: se contacta con la mano abierta, con el puño
- Saque vela o cohete
  - Balón: el sector golpeado es exactamente por debajo
  - Mano: se golpea con la mano abierta o el puño.

EDITORIAL WANCEULEN

- Saque por arriba raqueta tenis o de frente

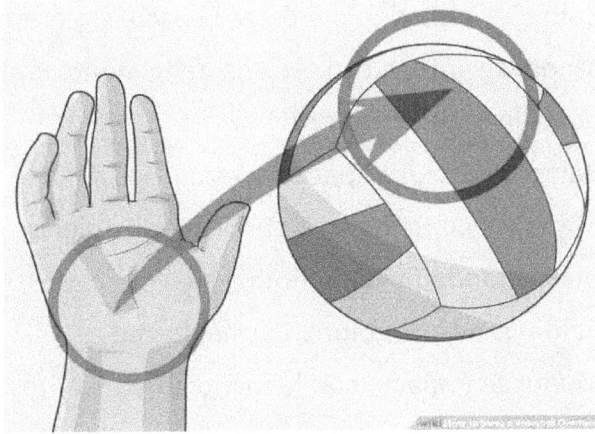

  – Balón: el sector contactado es entre el frente y arriba, o arriba

  – Mano: se ejecuta con la mano abierta o el puño

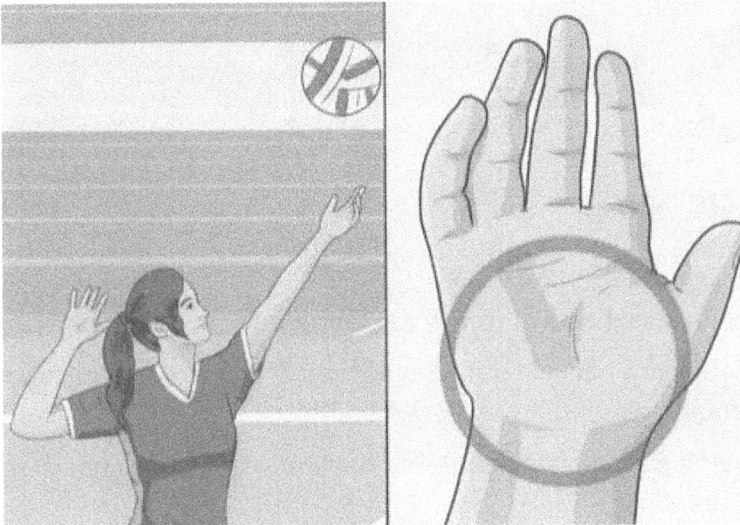

- Saque por arriba flotante o floting

  – Balón: el sector impactado es todo el frente

  – Mano: se golpea con la mano abierta, y en principiantes puño.

- Saque asiático o gancho
  - Balón: el sector golpeado es la parte superior
  - Mano: se golpea con el lomo de la mano
- Saque saltando de potencia fuerte
  - Balón: el sector impactado es el superior
  - Mano: se contacta solo con la mano abierta
- Saque saltando flotante floting suave
  - Balón: el sector golpeado es el frente
  - Mano: se impacta con la mano abierta.

PUNTOS DE CONTACTO CON EL BALÓN PARA SERVICIOS CON ROTACIÓN

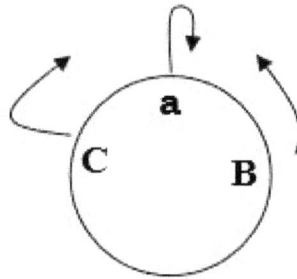

a. El balón gira hacia el frente haciendo una curva hacia abajo
b. El balón gira hacia la derecha haciendo una curva hacia abajo y a la izquierda
c. El balón gira hacia la izquierda haciendo una curva hacia abajo y a la derecha

10. ANTES DE QUE SUENE EL PITO

Momento expectante del juego de voleibol, momento de total concentración del jugador sacador, momento esperado por su equipo compañeros, por equipo rival, por los espectadores familiares y que tan solo dispone después del sonido del pito de ocho (8 segundos) para ejecutar. Y en esa acción poder demostrar lo practicado, ensayado y sobre todo acatar las indicaciones tácticas de su entrenador para conseguir en primer momento un punto directo para su equipo, y si no es así, poder resquebrajar la defensa contraria impidiendo una jugada de armado de ataque rival. Es así que antes de que suene el pito se debe tener en cuenta varios aspectos tanto físicos, técnicos y psicológicos en el repertorio individual del sacador.

Factores a tener en cuenta

a) El momento de juego

b) El equipo contrario

c) El equipo propio

d) Condiciones ambientales.

- **Elección del sector de ubicación del golpeo del balón:** es muy importante ser consecuente con el lugar en el cual el jugador ha practicado el saque durante todos los entrenamientos y preparación del mismo, pues de lo contrario sería en el momento del partido una improvisación que en el mundo del entrenamiento deportivo, seria sinónimo de inseguridad.

- **Elección del tipo de saque**, para jugadores principiantes esto se da poco, por lo que solo manejan un solo tipo de servicio, lo cual es positivo en el proceso de formación, en jugadores avanzados se podría usar varios tipos de saque en dependencia de la maestría individual de juego, por experiencia los jugadores solo utilizan un tipo de saque, el cual ya ha sido perfeccionado durante años y muchos juegos oficiales. Los cambios de tipo de servicio se dan en relación meramente táctica con respecto a la situación del momento del rival según su defensa de saque, jugadores ubicados en recepción.

- *Posición correcta de todos sus segmentos corporales* ante la sujeción del balón en ese instante.

- Observación directa analítica e inteligente de la *formación del equipo rival,* tanto del lugar de la penetración (infiltración) del pasador colocador como el sistema de defensa de saque, adicional a esta se debe observar a cada uno de los jugadores rivales en su ubicación y en sus cualidades de recepción, para así dirigir el saque al jugador con mayor dificultad para la defensa.

- *Concentración total* de mente y cuerpo, que consiste en conectar todos sus pensamientos solo en la acción del saque, en correspondencia con sus habilidades físicas, es un momento sublime y de gran claridad mental para liberarse de presiones, publico, inseguridades, dudas y sobre todo de valentía.

- Cada jugador tiene dentro de su táctica individual un *repertorio de direcciones de saques y jugadas*, ya practicadas y perfeccionadas, no del tipo de saque, pero sí de dirección cruzada, paralela, corto, media o larga con potencia suave o fuerte, lo cual hace que se tomen decisiones en ese momento en relación al equipo rival.

- Análisis anterior desde el momento del calentamiento, del **espacio que se tiene para ejecutar el saque**, no todas las canchas disponen del sector reglamentario, por lo cual es importante que practique antes.

- Análisis anterior de las *situaciones de temperatura*, corriente de aire, que inciden notablemente en la eficacia del servicio. Una puerta abierta en un lado del campo de juego, hace que la corriente este en un set a favor, y en otro set este en contra.

- Cuando se ejecuta un servicio, se debe ser consiente del *momento del set, del marcador del juego,* o si es después de una pausa técnica o interrupción, adicional si es el primer saque del partido que debe ser seguro.

- Llega el momento del pito del árbitro, sin pisar la línea de saque en el momento del contacto, lo cual no está permitido por el reglamento, sabiendo que balón lanzado al aire, es un balón que debe ser golpeado, inmediatamente el jugador pasa a la terreno de juego útil y se pone en posición de alerta a la siguiente jugada.

11. OBJETIVOS DEL SAQUE

Muchos son los destinos deseados por un sacador, las intenciones de ese servicio para con el rival varían desde lo físico, técnico, estratégico. Lo cierto es que el objetivo de cada servidor es lograr un punto directo y sin escalas de juego, en el mundo del voleibol es de los momentos más alegres de competición, pero para ello se necesita un óptimo conocimiento del rival, tanto en la técnica de sus jugadores, las condiciones físicas individuales de cada uno de ellos, las indicaciones del entrenador propio, el momento del juego en marcador y actitud. Los siguientes factores pueden ayudar mucho a un jugador que se dispone a ejecuta el servicio.

- ✓ Jugadores de peor rendimiento en recepción.
- ✓ Jugadores de menor experiencia (en momentos decisivos).
- ✓ No habituales en el sexteto titular (excepto especialistas).
- ✓ Jugadores que muestran mayor fatiga.
- ✓ Jugadores que están acumulando errores, en esa o en otras acciones.
- ✓ Responsables de ataques rápidos.
- ✓ Responsables de ataques con recorridos largos o complejos.
- ✓ Jugadores que van a intervenir en ataque.
- ✓ Jugador que interviene más en ataque.
- ✓ Zona débil del receptor (delante, detrás, derecha o izquierda).
- ✓ Qué tipo de saque consigue mayor o menor eficacia sobre cada receptor.
- ✓ Jugador "líder" en el equipo (si ofrece fisuras).
- ✓ Zonas de interferencia (frontera entre las zonas de responsabilidad de dos receptores).
- ✓ Zonas donde se prevé el paso del colocador y/o atacantes en su desplazamiento para la construcción del ataque.
- ✓ Espacios más desasistidos por el sistema de recepción empleado.

✓ Nivel de compenetración entre receptores y no receptores (observar la medida en la que los no receptores favorecen o dificultan la intervención del receptor en balones dirigidos hacia ellos.

✓ Zonas que condicionen al colocador en la orientación de su pase.

Ahora bien, lo anterior se refiere al equipo contario, pero en muchos casos el objetivo del saque puede ser influenciado por nuestro propio equipo, en relación con las intenciones de nuestro sistema táctico, del nivel de juego de nuestros jugadores, o de la línea de delanteros que se tenga en ese preciso momento del servicio. Los siguientes pueden ser objetivo de nuestro equipo en el saque.

✓ De forma general, cuanto más dificulta el saque la construcción del ataque contrario en condiciones óptimas, más ventajas se otorgan al bloqueo y defensa propios.

✓ Si se conoce una tendencia del colocador según la zona de origen, se puede evitar la participación del bloqueador más débil.

✓ Es conveniente analizar la secuencia y preferencias del colocador en cada rotación

✓ Un saque que facilite el ataque pronosticado puede ser una opción de ventaja en ocasiones excepcionales.

✓ El margen de riesgo y, por tanto error, debe individualizarse en función de la técnica y el rendimiento previsible de cada jugador.

✓ De este modo el jugador que tiene el potencial para hacer puntos directos es lógico que tenga un margen de error mayor que quien utiliza un saque "táctico" con poca velocidad.

EDITORIAL WANCEULEN

12. CUALIDADES PSICOLÓGICAS MENTALES Y VALORES EN SAQUE

INTELIGENCIA: muchas veces se escucha al entrenador decir a sus jugadores "usa la cabeza" que no es más que ser inteligente en la acción siguiente, o la capacidad para analizar diversas situaciones deportivas, buscar soluciones eficientes y muchas veces creativas y un aprendizaje constante de lo que ocurre en la competición. Para nuestro tema del saque, la inteligencia representa un momento muy importante y corto del juego, pues en 8 segundos, se debe analizar y ejecutar con total control y precisión una acción que soporte esta cualidad, como es desde que punto sector de la zona debo ejecutar el servicio, con qué tipo de saque, a que destino direccionarlo, con que fuerza, obviamente con una disciplina táctica impartida por su entrenador.

CONCENTRACIÓN: como escribimos anteriormente esta cualidad es de total importancia en el momento del impacto al balón, es un momento sublime, en el que está en juego la eficacia del servicio, el voleibol proviene del deporte del tenis de campo, y de allí hemos aprendido muchas cosas, entre una de esas, está la suprema concentración que manifiestan los tenistas al momento del saque, y no es para menos, pues es un momento de liberación de presiones, tensiones, roces, y mundo exterior, momento donde solo está el jugador con el elemento de juego, y no existen distracciones externas como jugadores contarios, publico, familiares, sonidos y demás, los jugadores más entrenados en esta capacidad, perciben y seleccionan más rápidamente los estímulos relevantes de la situación y así toman mejores decisiones. Aún en situaciones de mucha presión, son capaces de sólo pensar en lo relevante de la ejecución deportiva; están totalmente concentrados en su tarea. En jugadores principiantes es muy común encontrar alrededor del momento del servicio un circulo distractor de la concentración como lo son: los familiares del joven que se encuentran gritando apoyos o mandatos sobre el niño ejecutante, que provocan total distracción. Adicional los mismos compañeros que con buenas intenciones le hablan al principiante que debe hacer y cómo debe y adonde debe sacar, lo cual hace perder la concentración en ese instante. Sin mencionar a los rivales que gritan palabras de desaliento para con este joven jugador.

AUTOCONFIANZA: cualidad que activa emociones positivas, lo que genera en el voleibolista un estado mental de seguridad y afecta a las sensaciones corporales posibilitando que el jugador no se halle tenso o ansioso en exceso, facilita la concentración, es decir que la mente se halla focalizada en la tarea en cuestión y no divaga en preocupaciones que hacen que el deportista se distraiga. Influye en los objetivos, ya que el sacador establece metas estimulantes y se esfuerza por apuntar a lo más alto logrando el máximo de su potencial. Afecta a las estrategias del juego: no se tiene miedo de correr riesgos y se asume el control de la competición, sirviendo para ganar. Afecta al ímpetu psicológico, el deportista confiado tiene una actitud de "no ceder" ante la adversidad y aborda las situaciones difíciles como un desafío, no como una amenaza.

AUTOMOTIVACION: es una consecuencia de la anterior, pero esta cualidad tiene un plus, y es que cada jugador le imprime la dosis de refuerzo motivacional, personal, es una creencia es una seguridad, con alegría y certeza, se auto impulsa a servir bien y al servicio del equipo completo, cualidad que se ve óptima para su equipo alrededor, pues sirve de combustible motivante para todos, para muchos entrenadores esta cualidad es de gran ayuda en terreno de juego, pues es contagiante y supera en muchos casos las adversidades del propio juego.

AUTOCONTROL: cualidad que es de conocimiento muy profundo de cada ser humano jugador, pues ese conocimiento de sus acciones, reacciones, motivaciones, y decepciones, hacen que ese jugador se controle en cada uno de esos episodios, para el tema del saque en voleibol el jugador viene de la línea delantera, zona de gran alternancia, por lo cual cuando se dispone a tomar el balos y ubicarse en posición de servicio, debe auto controlar todas esas emociones y reaccione, y canalizarlas en pos de la efectividad del mismo.

DECISIÓN Y VALENTÍA: el deporte del voleibol, es de carácter colectivo tanto ofensivo como defensivo y tiene muchas acciones que prevalecen de forma muy rápida y que es necesario tomar una decisión acertada, por eso estas dos cualidades van de la mano, y

EDITORIAL WANCEULEN

juegan un papel preponderante, pues cada sacador en ese momento debe arriesgar en la toma de acciones en cuanto al repertorio de jugadas que tiene establecidas por su preparación individual, adicional debe tener el valor deportivo de asumir el riesgo a favor de la eficacia del saque, jugador que con temor ejecuta el servicio, tendrá pocas posibilidades de acertar, esa valentía, también es contagiosa para todo el equipo, estas cualidades también se entrenan y se practican en el diario vivir deportivo.

LIDERAZGO: un jugador que está al servicio con cualidades de liderazgo convoca, invita a seguir, desarrolla, crea cosas positivas para su equipo, y se convierte en un modelo para sus compañeros de juego, medido esto en la ejecución del mismo, sus movimientos físicos lo demuestran con seguridad, sus gestos y semblantes contagian y son acatados asumidos con seguridad por todos, su voz, ideas y consejos para los demás son aceptados y se convierten ejemplo a seguir, dando fuerza de cohesión grupal.

Este tipo de líder generalmente se convierte en aliado del entrenador sobre todo en la labor educativa, lo que es de particular importancia en los equipos de categorías inferiores (infantiles y juveniles). En los equipos de primera es inapreciable su ayuda en la prevención de los distintos conflictos interpersonales, en la organización del ocio y en la realización de actividades sociales.

RESPONSABILIDAD: como se ha escrito anteriormente, el servicio en voleibol es un fundamento técnico individual, y de táctica individual, que no depende de otra jugada o de otros jugadores, por lo tanto esta acción debe ser medida por requerimientos tácticos del entrenador, el cual da órdenes al jugador que está al servicio, donde le ordena y sugiere dirigir, a un sector determinado, o a un jugador elegido el saque, es allí donde el sacador debe acatar con responsabilidad y ejecutar dichas ordenes, esa responsabilidad será muestra de una cualidad que unirá al grupo en pos de los objetivos ganadores del partido, de lo contario, demuestra una falla notable que será motivo de conflictos, poca unión, mala disciplina táctica.

HUMILDAD: cualidad que debe estar impresa en todos los jugadores y deportistas, en este caso del jugador al servicio, está representada en el momento que escucha, y atiende las ordenes de su entrenador, estará representada cunado escucha y corrige las enseñanzas de sus compañeros. Adicional se muestra mucho cuando se sabe que se están cometiendo errores en el servicio, a lo cual los corrige insistentemente durante las prácticas o entrenamientos.

EDITORIAL WANCEULEN

13. METODOLOGÍA DEL SAQUE

El aprendizaje del saque en el voleibol, se encuentra en dependencia directa con los medios, métodos, ejercicios y correcciones que se desarrollan para enseñar los gestos básicos de juego.

En escritos anteriores se aprendió la técnica paso a paso de forma racional para su ejecución correcta, ahora veremos cómo se enseña, corrige y se practica en el terreno de juego.

Es importante entender que la enseñanza de la técnica se lleva a cabo en estrecha relación con los factores de preparación física, preparación táctica y psicológica, con la aplicación de ejercicios que satisfagan, la etapa de iniciación, con observación atenta de las fallas y sus correcciones, impactando siempre este proceso con los medios y formas de enseñar la técnica fundamental, ligada siempre a un orden sistemático y metodológico de medir a mayor grado de dificultad de ejecución técnica. Esto quiere decir que se enseñara la técnica, en un proceso gradual que avance si se ejecuta correctamente y se regresa si hay fallas en la realización del gesto fundamental.

SAQUE POR DEBAJO DE FRENTE

✓ Descripción de errores más frecuentes.

1. El balón se golpea verticalmente hacia arriba.
2. Se flexiona el codo al golpear.
3. Mal lanzamiento del balón.
4. Se levanta y golpea el balón, demasiado cerca del cuerpo.
5. Falta de flexión en rodillas.
6. Posición incorrecta de piernas.
7. Posición errónea de la mano.
8. El golpe no se realiza de forma recta hacia delante y arriba.
9. La no utilización, del balance del cuerpo al golpear.
10. Golpeo a destiempo, del balón.
11. No hay vista al campo contrario.
12. La falta de concentración.
13. No terminar después del golpe, en posición de juego.

✓ Metodología de la enseñanza del saque por Abajo de frente

1. Lo primero es enseñar la posición básica de ejecución.
2. Plantear el gesto correcto en el antes, durante y después.
3. Identificación con el balón.
4. Enseñar a dominar el lanzamiento vertical del balón.
5. Coordinar los movimientos sin balón.
6. La ejecución del servicio debe enseñarse primero muy cerca de la malla y muy baja, para luego golpear más lejos progresivamente según el dominio, que se obtenga.
7. El primer gesto técnico que se enseña es el saque por abajo de frente y no por arriba.
8. Al principio de la enseñanza se pueden realizar movimientos de golpeo contra una pared (a 2 ó 3 metros de distancia).
9. La forma de la mano puede ser abierta, con puño interior, mano en forma de cuchara.

10. En los principiantes, el no pasar el balón, al terreno contrario; no es un fallo, en correspondencia, con su poca fuerza, es un fallo en la ejecución del fundamento técnico exclusivamente.

11. Se enseñara, que el cuerpo, después del golpe, se interna en la cancha en posición de juego.

✓ Ejercicios para el aprendizaje del saque por debajo de frente

1. Enseñar la posición básica del saque por debajo de frente.

2. Realizar los movimientos en el antes, durante y después sin balón.

3. Lanzar verticalmente el balón, con una o dos manos, dejándolo botar al suelo.

4. Realizar el gesto técnico completo, con balón, sin golpearlo.

5. Ejecutar el fundamento del saque, contra una pared a 2,3 metros de distancia.

6. Realizar el saque por abajo de frente con compañero, a una distancia de la malla, de 3 metros, y con malla muy baja a 5 metros, 7 metros y 9 metros.

7. Rueda de saques, jugadores en fila ubicados detrás de la línea de saque, realizan saques ordenadamente y el que golpea, corre al campo contrario para esperar su turno de nuevo.

8. Saque a objetivos definidos, variando la distancia de golpeo, con respecto a la red, por parejas.

9. Realizar el gesto técnico, desde la línea de servicio a 9 metros, variando la altura del balón (alto, medio, alto y rasante).

10. Ejecutar servicios por debajo, de frente, desde la línea de saque a 9 metros, dirigidos a posición 1, 6, 5 con objetivos, puestos en esas posiciones.

SAQUE POR ARRIBA (TENIS)

✓ Descripción de errores más frecuentes.

1. El balón se lanza muy alto, o muy corto.
2. El balón se lanza exageradamente, hacia atrás o adelante.
3. El balón se lanza incorrectamente, hacia la derecha o la izquierda.
4. El balón es golpeado solo por los dedos.
5. El balón no es golpeado, entre el frente y o abajo.
6. El movimiento de atrás-arriba y adelante del brazo ejecutor, es incorrecto.
7. Golpeo a destiempo del balón.
8. Posición incorrecta de piernas.
9. El brazo ejecutor, no golpea en extensión completa, por encima de la cabeza.
10. Punta de pie adelantado, en dirección equivocada.
11. No hay torsión o arqueamiento de espalda.
12. No hay concentración mental, al momento del saque.
13. El cuerpo no termina en posición de juego.

✓ Metodología de la enseñanza del saque por arriba (de tenis)

1. Lo primero es enseñar la posición básica de ejecución.
2. Plantear el gesto técnico correcto, en el antes – durante y después.
3. Enseñar a dominar el lanzamiento vertical, del balón con una o dos manos.
4. Coordinar los lanzamientos y movimientos sin balón.
5. Enseñar la ejecución del servicio, primero que todo, desde una distancia muy cercana a la red.
6. Este gesto, se enseña después del saque por abajo y al mismo tiempo que el remate.
7. Se golpea al balón con mano abierta, con puño o en forma de cuchara.
8. Enseñar que el impacto al balón, es con mano tensa y potente.

EDITORIAL WANCEULEN

9. Cuando el balón no pasa por la malla en principiantes, es más un trabajo, en la enseñanza de la técnica, y no de fuerza.

10. Se enseña, que el cuerpo termina al interior del campo de juego, en posición de juego.

✓ Ejercicios para el aprendizaje del saque por arriba (de Tenis)

1. Enseñar la posición básica para el saque por arriba.

2. Realizar los movimientos, en el antes – durante y después sin balón.

3. Lanzar verticalmente, el balón con una o dos manos, dejándola caer al piso.

4. Realizar el gesto técnico completo, con balón, sin golpearlo.

5. Realizar el saque contra la pared a distancias de 2 y 4 metros.

6. Ejecutar el saque con un compañero, a través de la malla, y a una distancia de 3, 5 y 7 metros.

7. Golpear contra un tablero de baloncesto, pero haciendo énfasis en la altura y dirección.

8. Rueda de saques, en fila de jugadores al final de la línea de servicio, el jugador que golpea pasa al campo contrario, al final de la fila para servir de nuevo.

9. Saques a diferentes objetivos, desde 3, 5 y 7 metros, separados de la malla.

10. Servicios por parejas desde la línea de saque, con objetivos en posición 1, 5 y 6.

14. PRECAUCIONES EN EL LANZAMIENTO DEL BALÓN

- Cuanto menor sea la distancia del lanzamiento del balón, menor será el error de golpeo y coordinación de momentos con el golpe.

- Balón lanzado de forma muy baja, ocasionando mucha flexión de tren inferior, perdiendo altura correspondiente y velocidad de ejecución.

- Balón lanzado en línea diferente a la del brazo que contactara, ocasionando una trayectoria errónea por error de giro de la cadera muy notorio.

- Balón que es lanzado muy atrás del cuerpo, ocasionando falla completa en la ejecución del mismo.

- Balón lanzado muy alto y contactado de forma muy alta, ocasiona una elevación del balón desmedida pero sin avance hacia la malla o red, también puede ocurrir que el balón describa una trayectoria hacia atrás.

- Balón lanzado con ambas manos a la vez, como consecuencia que el brazo ejecutor no esté listo a tiempo para el golpeo, puede sufrir una descoordinación el movimiento. Esto en jugadores avanzados no se da debido a la maestría de juego.

- Balón lanzado muy alto en condiciones de cancha abierta, experimentara una descoordinación en la visual del ejecutante, por el resplandor del sol.

EDITORIAL WANCEULEN

15. ERRORES MÁS FRECUENTES DE LOS ENTRENADORES

El tiempo que tiene de existencia el deporte del voleibol, ha experimentado en su proceso de enseñanza de los fundamentos, variaciones múltiples, pero en el tema que compartimos, del saque encontramos que la corrección continua de los errores por parte de los profesores, entrenadores se ha focalizado en la efectividad del servicio en su forma más práctica que es el solo pasar el balón por encima de la red, y que sea recibido por el equipo contario. La importancia del servicio actualmente radica en conseguir un punto directo para el equipo ejecutor, pero una meta suprema de todo entrenador con visión futura de formación integral segura y de buen nivel para un sacador, será corregir correctamente en el ahora proceso de fundamentación, y para ello debe autocorregir fallas en su proceso de enseñanza del saque.

Al hablar del saque en categoría principiantes, a diferencia de avanzados, no nos centramos tanto en aspectos como la precisión, la táctica o la potencia. En iniciación, es normal comenzar priorizando la correcta ejecución técnica y la capacidad de poner el balón en juego para, poco a poco, trabajar sobre el control de la dirección del balón hacia una zona determinada y, más adelante, incrementar la potencia y el entrenar un saque más enfocado al alto nivel. Muchas veces sucede que un jugador pregunta a su entrenador por qué el saque no le pasa, a lo cual su maestro responde que es un problema de fuerza, con esta respuesta queda claro que algunos entrenadores están fallando en la enseñanza, pues no es un problema de fuerza que el saque no pase, es un problema de incorrecta técnica, de errores en la fundamentación y formación de ese principiante, a continuación veremos errores más frecuentes por partes de los entrenadores.

- No explicación del gesto del saque en forma demostrativa, por el maestro.

- Explicación del gesto con un método apiñado de información, la enseñanza debería separar los momentos en el antes, durante y después del contacto.

- Olvidar en la enseñanza que clasificación y tipos de saque contiene el voleibol, aclarando que existen servicios por debajo de la cabeza y saques por encima de la misma.

- Enseñar en primer lugar el saque por arriba raqueta o tenis, esto es un error metodológico, pues el gateo inicial es el servicio por abajo, y asi fortalecer la base técnica del saque a posteriori.

- Practicar inicialmente con balón número 5 en jugadores principiantes, se debe procurar utilizar el valor de numero 3 y 4 para mini voleibol.

- Atenerse de ensayar primero sin balón, frente a una pared, y así corregir el gesto con la posición frecuente.

- No priorizar la enseñanza del lanzamiento inicial, como hemos visto: es una fase fundamental del aprendizaje del saque.

- No hacer un calentamiento previo, antes de ejecutar la acción.

- El don de la paciencia, tolerancia debe reinar en un entrenador en el proceso de enseñanza del saque, y sobre todo con el género femenino, pues tardan un poco más en aprender este gesto.

- Se presiona demasiado por parte del profesor en el antes del golpe del balón, lo que influye demasiado en nervios, y la concentración se pierde.

- Se enseña inicialmente el servicio desde la línea de saque ósea desde nueve (9 metros), lo cual es un error, pues se debe ejecutar primero desde los tres metros de la malla, y así progresivamente ir aumentando la distancia.

- Entrenador que inicia la enseñanza del saque en principiantes con altura de la malla de forma excesiva, se debe tomar precauciones en bajar la red a nivel muy bajo, categoría mini voleibol, o infantil.

- Olvidar en su proceso, las superficies de contacto que interactúan tanto en brazo mano y balón.

- Olvidar comentar la reglamentación oficial que rige para el servicio.

- Corrección permanente del movimiento armónico que debe existir entre el lanzamiento y el golpeo, generalmente la mayor causa de fallas son por la a sincronía allí.

EDITORIAL WANCEULEN

- Una corrección continua ahora en el proceso de formación de principiantes, dará resultados maravillosos en un futuro jugador.

- Utilizar muy poco tiempo del entrenamiento total, para la preparación y enseñanza del saque, el saque ocupara un tiempo óptimo de la práctica, recordando que es el primer elemento técnico que pone en juego el voleibol, y que es el primer elemento ofensivo del juego.

- En niveles de voleibol avanzados, un error muy frecuente de los entrenadores es gritar con mucha presión al jugador que ejecutara el saque, esto influirá en gran peso en el jugador pues lo tensionara y fallara el servicio.

- Entrenadores que solo dan oportunidades a unos cuantos jugadores de ejecutar a riesgo el saque, un equipo lo hacen todos, y en cualquier momento esos jugadores en la sombra pueden llegar a sorprender.

16. UBICACIÓN DEL ENTRENADOR - CORRECCIÓN DE ERRORES

Por lo general, para que el entrenador pueda seguir exactamente la ejecución de un movimiento técnico o una aplicación táctica, debe ocupar una ubicación bien determinada en relación con el alumno o grupo de alumnos que ejecutan la actividad.

- Para un movimiento que se hace en el plano sagital, el profesor debe colocarse lateralmente en relación con el ejecutante.

- Para un movimiento que se lleva a cabo en el plano frontal, se colocará al frente o detrás del alumno.

- Entonces, el plano frontal del profesor, y el plano dentro del cual se desenvuelve el movimiento, deben estar enfrentados el uno con el otro.

En el caso del servicio, el profesor debe ubicarse con respecto al sacador en tres formas: primero en los principiantes lo debe hacer frente a frente a unos metros, de tal forma pueda observar en sumo detalle el gesto antes durante y después.

Podrá ubicarse de forma lateral con respecto al servidor, desde pondrá observar detenidamente los movimientos de coordinación armónica del lanzamiento y golpeo.

Se situara posterior al jugador, atrás de él, donde visualizara el cuerpo que termina la jugada, con terminación de la cadena cinemática y sobre todo el cuerpo que termina en posición de juego dentro del terreno de partido.

Muchos entrenadores hoy día utilizan el video, para posterior análisis del gesto, esto es positivo para en conjunto con el jugador completar un análisis muy detallado, de errores, aciertos y búsquedas.

Un acompañamiento alegre y comprensivo del entrenador de sus jugaores durante el terreno de juego, provocaran una relación de confianza.

Otra ubicación muy importante del entrenador dentro del terreno de juego con respecto a sus jugadores, es cuando se busca, y se da una información a todo el grupo, la correcta ubicación del profesor será dentro del círculo, haciendo parte de él y no dando la espalda a ningún jugador.

Es importante recalcar que no es conveniente utilizar pitos, para el llamado de jugadores para una información de grupo, se debe utilizar la voz de mando, que es más humana, cálida y afectica.

17. TÁCTICA INDIVIDUAL DEL SAQUE

Antes de que suene el pito que contabiliza los ocho (8 segundos) que ordena la reglamentación del saque, debemos preguntarnos:

- Hacia dónde va dirigido el servicio.

- Desde que sector de los nueve metros se ejecutara.

- Qué tipo de saque se utilizara.

- Con que fuerza se impactara el balón.

- Con que velocidad se contactara pelota.

- Para que el servicio en ese momento del juego.

- Que indicaciones sugiere el entrenador.

- Que condiciones de terreno, temperatura y corrientes de aire se tienen.

OBJETIVO REGLAMENTARIO: poner en juego el balón.

OBJETIVOS TÁCTICOS:

- Ejecutar un punto directo en el saque.

- Dificultar la construcción del ataque del equipo contario.

ORIENTACIONES GENERALES PARA LA ACCION TÁCTICA INDIVIDUAL DEL SAQUE

1. La ejecución del saque en competencia no es tentativa o un ensayo, el servicio es algo que se ha entrenado casi hasta la finura con anterioridad, por lo cual a la hora de un partido oficial se debe realizar con perfección y seguridad como si fuera una marca registrada de ese jugador.

2. Se ha demostrado que un cambio entre sector de ejecución del saque y uno siguiente, provocará desaciertos del mismo.

3. Al inicio del set o de partido, y después de interrupciones, se debe aspirar a saques de seguridad.

4. Servicios dirigidos a receptores de poca experiencia especifica de defensa.

5. Saque dirigidos a jugadores con deficiencias físicas de reacción y velocidad.

6. Servicios dirigidos a atacantes principales, o elegidos para siguiente acción.

7. Saque dirigidos a sector de infiltración de pase colocador.

8. Servicios encaminados a sectores rivales desprotegidos o despoblados.

9. Saques muy potentes y en salto de forma paralela.

10. Servicios muy potentes y veloces ejecutados desde la posición uno (1) en dirección diagonal.

11. Se tendrá en cuenta los agentes externos, como corrientes de aire, temperatura, presión del aire, sonido y barras.

12. Saque dirigido a defensores no libero, ya que estos especiales jugadores, son entrenados hasta el cansancio ra desempeñar esta función.

13. Servicios encaminados a receptores que han cometidos fallas consecutivas.

MENCIONAREMOS SEIS SITUACIONES EN LAS QUE NO SE DEBE FALLAR EL SERVICIO

1. El primer servicio del juego, o del set.

2. El primer servicio personal.

3. El saque que sigue a un servicio anterior fallado por un compañero.

4. El saque después de una sustitución de interrupción.

5. El saque después de un tiempo fuera.

6. El saque de punto para juego.

18. REGLAMENTACIÓN DEL SAQUE SEGÚN FIVB

PRIMER SAQUE EN UN SET

- ✓ El primer saque del primer set, como también el del decisivo 5to set, lo realiza el equipo determinado por el sorteo.
- ✓ Los demás sets comenzarán con el saque realizado por el equipo que no efectuó el primer saque en el set anterior.

ORDEN DE SAQUE

- ✓ Los jugadores deben seguir el orden de saque registrado en la ficha de posiciones.
- ✓ Después del primer saque en el set, el jugador que saca se determina como sigue: cuando el equipo sacador gana la jugada, saca de nuevo el jugador que efectuó el saque anterior (o su sustituto). Cuando el equipo receptor gana la jugada, obtiene el derecho a sacar y efectúa una rotación antes de sacar. El saque será realizado por el jugador que pasa de delantero derecho a zaguero derecho.

AUTORIZACIÓN PARA EL SAQUE

- ✓ El primer árbitro autoriza el saque después de verificar que los dos equipos están listos para jugar y el sacador está en posesión del balón.

EJECUCIÓN DEL SAQUE

- ✓ El balón debe ser golpeado con una mano o cualquier parte del brazo después de ser lanzado o soltado de la/s mano/s.
- ✓ Se permite solo un lanzamiento al aire del balón. Se permite mover el balón de una mano a otra o hacerlo botar en el piso.
- ✓ Al momento de golpear el balón o elevarse para ejecutar un saque en salto, el/la sacador/a no puede tocar la cancha (línea de fondo incluida) o el terreno fuera de la zona de saque.

EDITORIAL WANCEULEN

✓ Después de golpear el balón, él /ella puede pisar o caer fuera de la zona de saque, o dentro del campo.

✓ El sacador debe golpear el balón dentro de los 8 segundos siguientes al toque del silbato del primer árbitro para el saque.

✓ Un saque efectuado antes del toque de silbato del árbitro es nulo y debe repetirse.

✓ Los jugadores del equipo que saca no deben impedir a sus adversarios ver al sacador y la trayectoria del balón por medio de una pantalla individual o colectiva.

✓ Un jugador o grupo de jugadores del equipo que saca realiza/n una pantalla si mueven sus brazos, saltan o se desplazan lateralmente, durante la ejecución del saque, o se paran agrupados, y al hacerlo ocultan al sacador, y la trayectoria del balón hasta que el mismo alcanza el plano vertical de la red.

FALTAS COMETIDAS DURANTE EL SAQUE

Las siguientes faltas conducen a un cambio de saque, aún si el adversario está fuera de posición.

✓ El sacador: viola el orden de saque,

✓ No ejecuta el saque apropiadamente.

FALTAS DESPUÉS DEL GOLPE DE SAQUE

✓ Después que el balón ha sido correctamente golpeado, el saque se convierte en falta (excepto cuando un jugador está fuera de posición) si el balón.

✓ Toca a un jugador del equipo sacador o no cruza el plano vertical de la red completamente a través del espacio de paso.

✓ Cae "fuera".

✓ Pasa sobre una pantalla.

✓ Si el sacador comete una falta en el momento de golpear el balón (ejecución incorrecta, error en el orden de rotación, etc.) y el adversario está fuera de posición, la falta de saque es la que debe ser sancionada.

✓ Si, por el contrario, la ejecución del saque ha sido correcta pero posteriormente el saque se convierte en falta (cae fuera, pasa sobre una pantalla, etc.) la falta de posición es la que se ha cometido primero y será ésta la sancionada.

EDITORIAL WANCEULEN

19. LA SELECCIÓN DEL SAQUE

Consecuentemente con todo lo escrito anteriormente, hemos dicho que los tipos de saques existentes hoy en día guardan una estrecha relación con el nivel de juego y aprendizaje de cada jugador, ya sea principiante o avanzado, por esto cada tipo de servicio estará en directa dependencia del nivel adquirido por el sujeto, factor a tener en cuenta por los entrenadores, y con lo cual poder respetar un verdadero proceso metodológico, trataremos según la experiencia de orientar lo más cercanamente los tipos con los niveles de juego.

TIPO DE SAQUE:

- **Saque por debajo de frente:** será orientado para jugadores principiantes de nivel cero (0) de categoría mini voleibol, con un tiempo aproximado de práctica del voleibol de cero a tres meses.

- **Saque por abajo lateral:** será encaminado según la experiencia, de nuestro entorno al género femenino principiantes nivel cero, mini voleibol, estas jóvenes refieren en dicho servicio, una comodidad más natural que motiva a adoptar este tipo de saque para ellas, vale comentar que este tipo de servicio, ya casi no aparece en la teoría y mucho menos en la práctica, pero lo traemos a relación, pues la verdadera realidad del quehacer en formación, no lo ha demostrado.

- **Saque por abajo vela–cohete:** muy utilizado por jóvenes principiantes que ya tienen un tiempo mayor de tres meses de práctica o entrenamiento y que por disciplina táctica de sus entrenadores y en juegos al aire libre intemperie se presta para su ejecución, ya que la confusión del balón y el resplandor del sol, juegan un papel desequilibrante para el rival.

- **Saque por arriba de frente tenis o raqueta:** orientado a las categorías infantiles y menores, y que en el proceso de madurez metodológica de su entrenamiento ya ha pasado por lo menos un año, servicio versátil de grandes adiciones en técnica estilo y táctica, quiere decir que los jugadores en formación, imprimen en él, variantes de fuerza, velocidad, giro o rozamiento, y que lo ejecutaran por espacio de un año a lo máximo, se puede decir que este saque es la puerta de salida a la búsqueda de nivel más avanzado en la técnica del servicio.

- **Saque por arriba flotante floting**: un saque que llama mucho la atención tanto para jugadores como espectadores, se orienta para jugadores categoría menores y juvenil, donde ya la riqueza en estilo y táctica del jugador se evidencia en servicios complejos, peligrosos, y de difícil recepción, Saque que ejecuta la rama femenina con lujo de técnica, seguridad, y calidad.

- **Saque por arriba asiático:** de uso restrictivo hoy día para las jugadoras orientales, el cual a la vista del espectador, es impactante, pero de una difícil ejecución, las damas hacen uso de este en forma brillante.

- **Saque por arriba saltando fuerte:** excepcional servicio, que fija las miradas del mundo, lleno de plasticidad, armonía, fuerza, velocidad y potencia, está orientado para jugadores avanzados de categoría mayores y elite mundialista. Es importante mencionar que se llega a este tipo de saque, después de obtener una maestría de juego de años, experiencia y trabajo físico.

Es recomendable, no orientar este tipo de servicio en principiantes, pues se fallaría en proceso metodológico.

- **Saque por arriba saltando floting suave:** se recomienda para jugadores avanzados, mayores, elite mundial, y para jugadores muy inteligentes, tácticos que buscan acomodación perfecta del servicio para dificultar la recepción contaría.

20. EJERCICIOS FORMADORES PARA EL SAQUE

El objetivo será transmitir una información muy técnica y exacta posible del servicio, pero lo más cercana posible a la realidad de juego. Respetando la progresión metodológica del aprendizaje y que contengan unos muy claros objetivos de preparación para el juego real de un sacador. Con correcciones continúas que propicien la adaptación y fijación del gesto.

Serán ejercicios que almacenen siempre la motivación y mantengan la atención de los principiantes. Buscarán siempre dar soluciones a fallas-errores cometidos por los jugadores. Las formas jugadas pueden facilitar el proceso y los objetivos de los ejercicios formadores.

Para organizar el gran mundo de los ejercicios existentes, para este gesto técnico, desarrollaré un "Plan de entrenamiento de saque" "PENSAQUE 2019" que ayudará a ordenar y diferenciar los ejercicios en objetivos y categorías y consistirá en una batería o sistema institucionalizado, para uso de entrenadores y profesores en su quehacer deportivo.

"PENSAQUE 2019", está clasificada por niveles de aprendizaje o iniciación, de desarrollo y de avanzados, con esta herramienta los entrenadores y profesores podrán planear este sistema de ejercicios, dentro de su práctica diaria, apartando siempre un tiempo destinado a ejecutarlo.

21. "PENSAQUE 2019" - INICIACIÓN

EJERCICIO 1:
LANZAR-CONGELAR BALÓN (SAQUE POR ABAJO)

- ✓ Objetivo: sincronización de la lanzada del balón.
- ✓ Organización: individual.
- ✓ Descripción: lanzar el balón y al descender el jugador se posiciona frente a este y atrapa-congela simulado la acción verdadera.

EJERCICIO 2:
GOLPEAR FRENTE A LA PARED (SAQUE POR ABAJO)

- ✓ Objetivo: posición del cuerpo
- ✓ Organización: individual
- ✓ Descripción: el jugador golpea contra una pared a pocos metros.

EDITORIAL WANCEULEN

EJERCICIO 3:
SAQUE A TRES METROS A TRAVES DE LA RED (POR ABAJO)

✓ Objetivo: principiar a golpear a corta distancia con el servicio

✓ Organización: parejas.

✓ Descripción: servicio por parejas golpeando por abajo, desde tres metros de distancia de la red, con malla muy baja. Con el tiempo de práctica se cambia la distancia a cinco, siete y nueve (5, 7,9 metros).

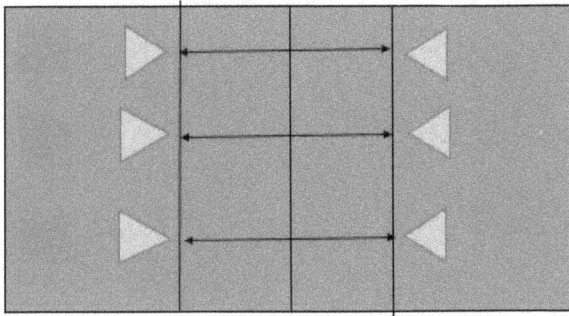

EJERCICIO 4:
SAQUES CORTOS A BLANCOS DETERMINADOS (POR ABAJO)

✓ Objetivo: posición correcta con movimiento armónico de segmentos corporales.

✓ Organización: individual con objeto externo o suplementario.

✓ Descripción: el jugador desde posición de saque a nueve metros, ejecuta la acción con gesto técnico correcto y con movimiento armónico entre la lanzada y la golpeada, adicional buscando control y trayectoria exacta al terreno rival.

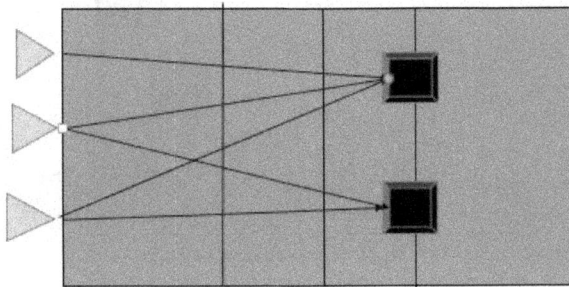

EJERCICIO 5:
SAQUES LARGOS A BLANCOS DETERMINADOS (POR ABAJO)

✓ Objetivo: postura-golpeo y control de balón.

✓ Organización: individual con elementos externos suplementarios.

✓ Descripción: el jugador desde posición de saque a nueve metros, ejecuta la acción con gesto técnico correcto y con movimiento armónico entre la lanzada y la golpeada, adicional buscando control y trayectoria exacta al terreno rival.

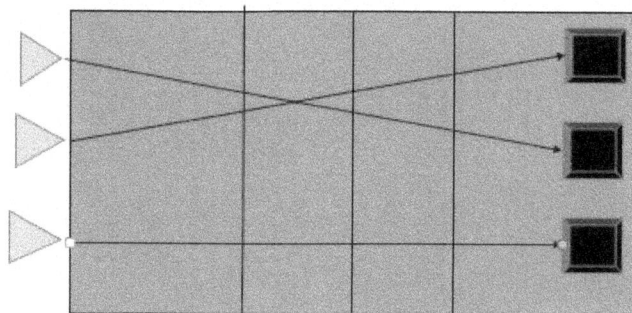

EJERCICIO 6:
SAQUE PARALELO A BLANCOS DETERMINADOS (POR ABAJO)

✓ Objetivo: postura -golpeo, control.

✓ Organización: individual.

✓ Descripción: el jugador desde posición de saque a nueve metros, ejecuta la acción con gesto técnico correcto y con movimiento armónico entre la lanzada y la golpeada, adicional buscando control y trayectoria exacta al terreno rival.

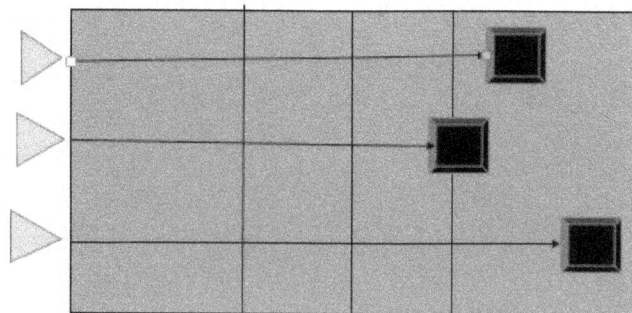

EJERCICIO 7:
GOLPEAR FRENTE A LA PARED (SAQUE POR ARRIBA)

✓ Objetivo: posición del cuerpo

✓ Organización: individual

✓ Descripción: el jugador golpea contra una pared a pocos metros.

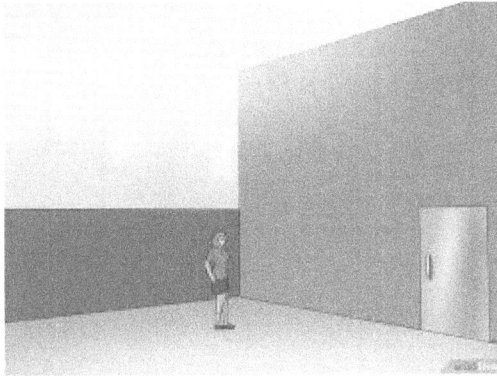

EJERCICIO 8:
SAQUE POR ARRIBA DESDE TRES METROS CON LA RED.

✓ Objetivo: posición del cuerpo con alternancia de lanzada de balón.

✓ Organización: parejas con la malla.

✓ Descripción: servicio por parejas golpeando por arriba, desde tres metros de distancia de la red, con malla muy baja. Con el tiempo de práctica se cambia la distancia a cinco, siete y nueve (5, 7,9 metros).

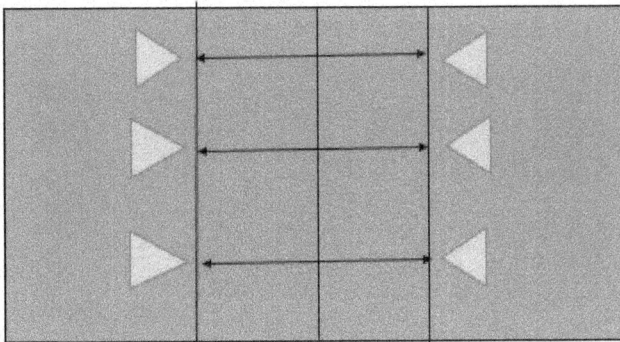

EJERCICIO 9:
SAQUES CORTOS A BLANCOS DETERMINADOS (POR ARRIBA)

✓ Objetivo: postura-golpeo-control.

✓ Organización: individual con elementos externos.

✓ Descripción: el jugador desde posición de saque a nueve metros, ejecuta la acción con gesto técnico correcto y con movimiento armónico entre la lanzada y la golpeada, adicional buscando control y trayectoria exacta al terreno rival.

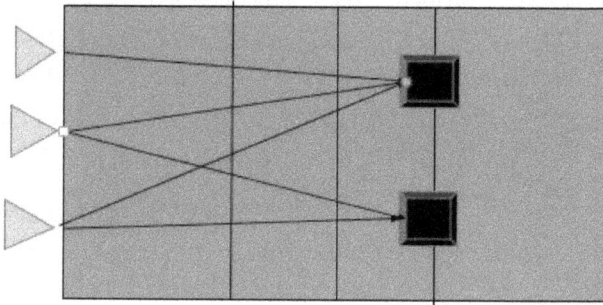

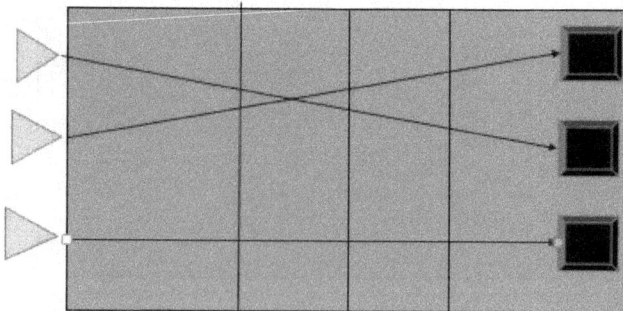

EJERCICIO 10:
SAQUES LARGOS A BLANCOS DETERMINADOS (POR ARRIBA)

✓ Objetivo: control y precisión del balón

✓ Organización: individual con elementos visibles referentes.

✓ Descripción: el jugador desde posición de saque a nueve metros, ejecuta la acción con gesto técnico correcto y con movimiento armónico entre la lanzada y la golpeada, adicional buscando control y trayectoria exacta al terreno rival.

EDITORIAL WANCEULEN

EJERCICIO 11:
SAQUE PARALELO A BLANCOS DETERMINADOS (POR ARRIBA)

✓ Objetivo: postura -golpeo, control.

✓ Organización: individual con elementos externos o suplementarios.

✓ Descripción: el jugador desde posición de saque a nueve metros, ejecuta la acción con gesto técnico correcto y con movimiento armónico entre la lanzada y la golpeada, adicional buscando control y trayectoria exacta al terreno rival.

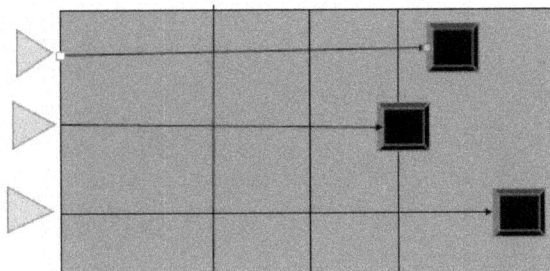

22. "PENSAQUE 2019" – DESARROLLO POR ARRIBA

EJERCICIO 1:
SACAR A UNA INFILTRACIÓN DEL ADVERSARIO

- ✓ Objetivo: control, dirección y concentración.
- ✓ Organización: 2 jugadores en penetración y cuatro en recepción.
- ✓ Descripción: ejecutando el saque con dirección determinada hacia la infiltración rival, esta puede cambiar de sector.

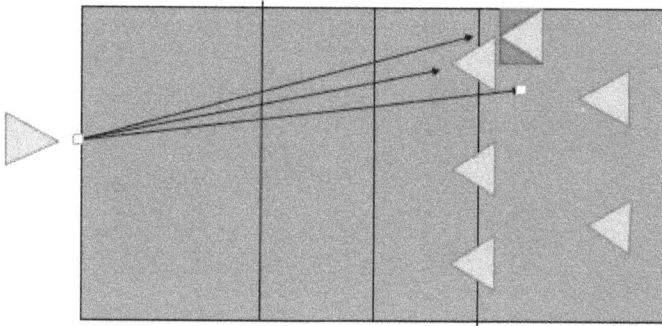

EJERCICIO 2:
SAQUE CON DIRECCION EXACTA A UN COLOCADOR PASADOR

- ✓ Objetivo: control, dirección y concentración.
- ✓ Organización: jugador colocador, y cinco receptores.
- ✓ Descripción: ejecutando el saque con dirección determinada hacia el pasador rival, este puede cambiar de sector.

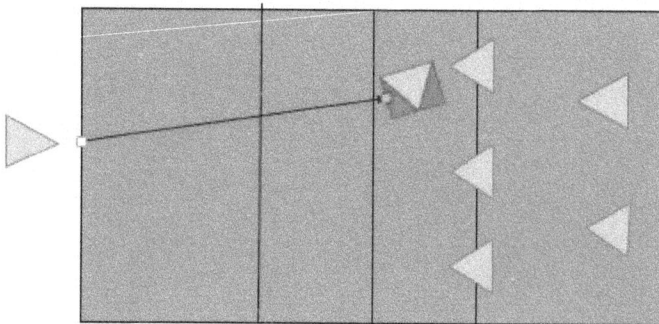

EJERCICIO 3:
SAQUES EN DIAGONAL CONSECUTIVOS

✓ Objetivo: control, dirección, precisión, repetición

✓ Organización: individual, con un cajón porta balones.

✓ Descripción: se le asignan 10 balones a cada sacador, los cuales los debe golpear de forma diagonal, contando el número de aciertos encajados al blanco.

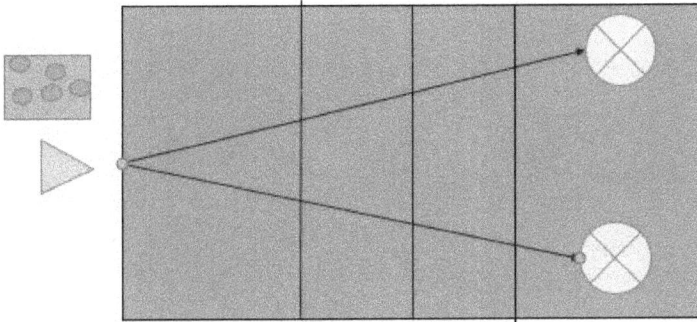

EJERCICIO 4:
DIVISION DEL TERRENO CONTRARIO EN NUEVE PARTES

✓ Objetivo: técnica, control, precisión.

✓ Organización: se delimita el terreno contario en nueve partes iguales.

✓ Descripción: cada jugador al saque debe servir e impactar el balón en los sectores demarcados, los aciertos se contabilizaran.

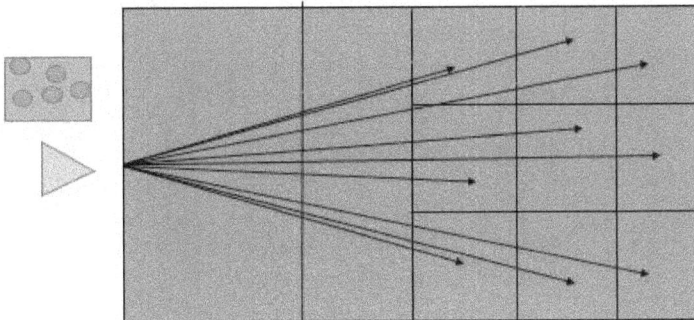

EJERCICIO 5:
SAQUE DESDE LAS ZONAS 1,5 Y 6

✓ Objetivo: técnica, concentración y postura.

✓ Organización: individual, con suministro de balones al sacador.

✓ Descripción: cada jugador realiza un servicio desde la posición 1 de saque, luego se mueve a la posición 6 y ejecuta otro saque, y por último se desplaza a posición 5 y sirve por última vez.

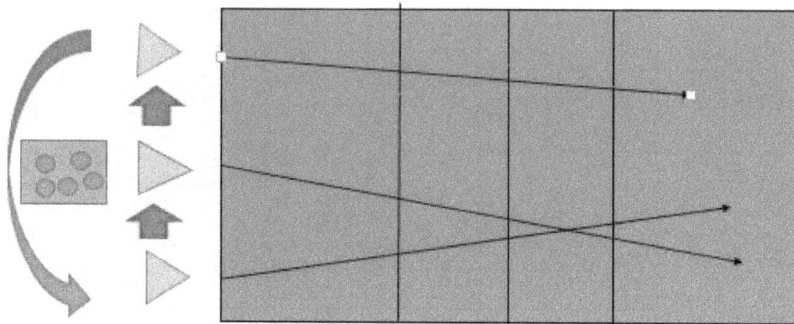

EJERCICIO 6:
SAQUES A SECTOR SEIS (6) Y SECTOR (3) DEL OPOSITOR

✓ Objetivo: técnica con dirección y niveles de fuerza.

✓ Organización: individual con dos cajones porta balones en seis y tres.

✓ Descripción: saques desde posición deseada por el ejecutante, dirigidos a sectores ya determinados como el seis y el tres del oponente.

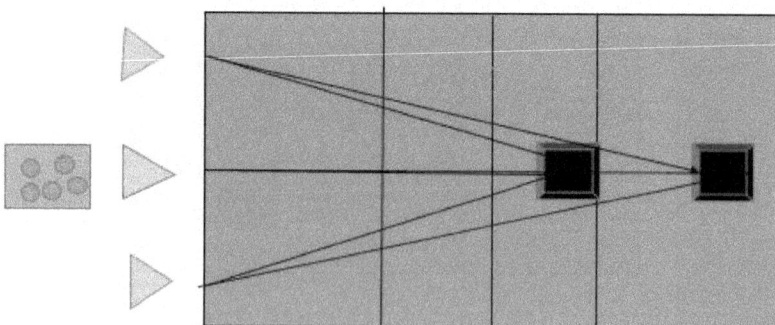

EJERCICIO 7:
SAQUES HACIA LOS PERÍMETROS DEL CAMPO RIVAL

✓ Objetivo: precisión, técnica, concentración.

✓ Organización: individual.

✓ Descripción: saque realizados buscando los bordes o líneas perimetrales del cancha contraria, ya sea lateral derecha e izquierda con de fondo.

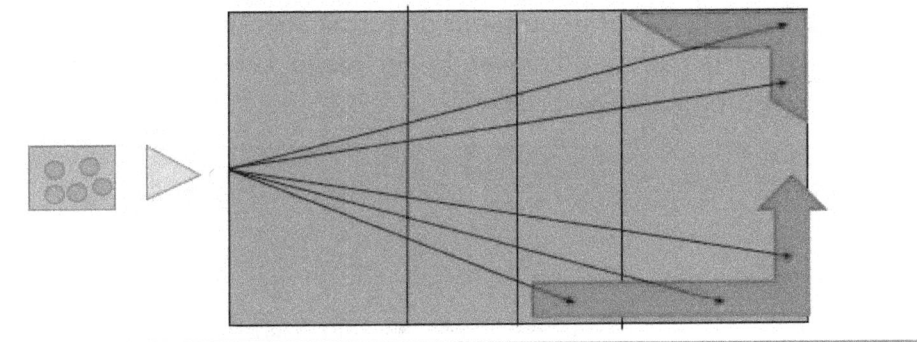

23. "PENSAQUE 2019" - AVANZADOS

EJERCICIO 1:
SE DEMARCA LA CANCHA RIVAL EN CUATRO PARTES

✓ Objetivo: precisión, control dirección, repetición.

✓ Organización: cancha oponente demarcada en cuatro partes, dos laterales, y en el fondo, y una cerca de la línea central.

✓ Descripción: el jugador debe servir de forma sucesiva, a los cuatro sectores demarcados, adicionando un juego competitivo entre todos, con premios y correcciones.

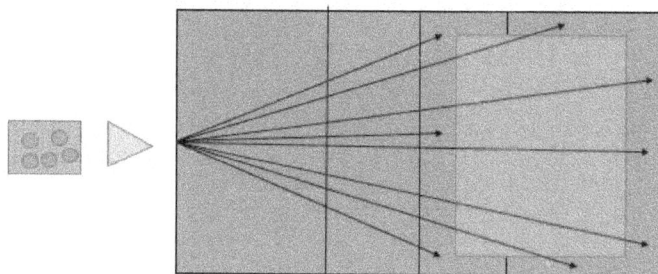

EJERCICIO 2:
SAQUE QUE DEBE PASAR ENTRE EL ESPACIO DELIMITADO

✓ Objetivo: precisión, control y concentración.

✓ Organización: individual, dos varillas que se sujetan a la malla.

✓ Descripción: entrenador lanza balones al pasador que está en zona tres, después de regresar de tocar la posición uno o línea final de servicio, este ejecutar un pase para atacantes en zona cuatro y dos, para desplazarse a zona uno y el entrenador lanzar el balón de nuevo.

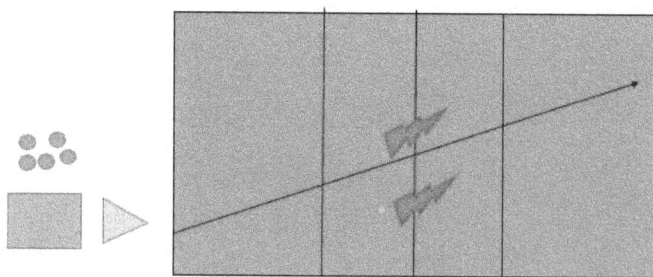

EJERCICIO 3:
SAQUE ENTRE LA MALLA Y UNA CUERDA POR ENCIMA

- ✓ Objetivo: control, precisión, estrategia.
- ✓ Organización: individual y una cuerda como elemento externo.
- ✓ Descripción: los jugadores deben realizar los servicios por entre la malla y la cuerda puesta por encima, se puede contabilizar de forma competitiva entre todos los participantes.

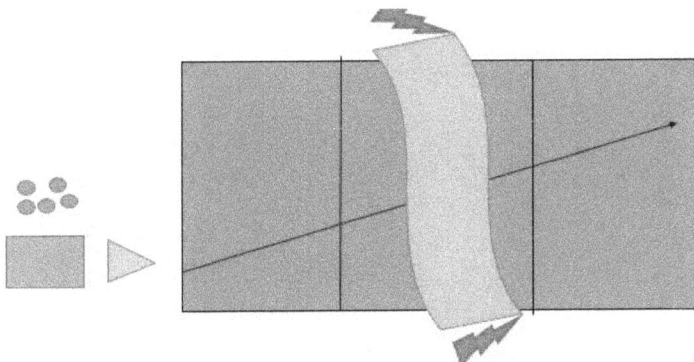

EJERCICIO 4:
CAMPO CONTRARIO DEMARCADO CON AROS

- ✓ Objetivo: precisión, y ubicación hacia sectores despoblados.
- ✓ Organización: individual y seis aros como elementos externos.
- ✓ Descripción: los jugadores ejecutan diferentes servicios que tienen como blanco, los sectores despoblados de aros, evitando siempre que los toquen o que el balón caiga al interior de los mismos.

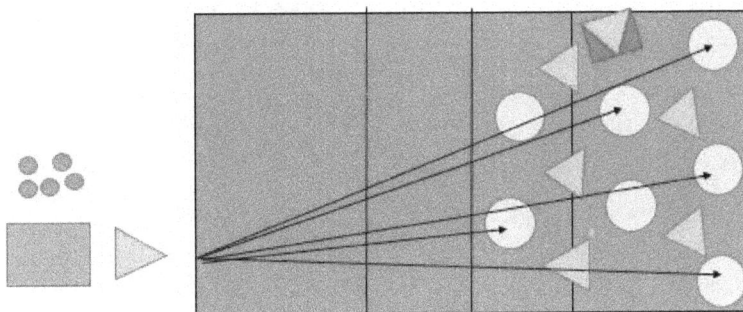

EJERCICIO 5:
TRES FILAS DE JUGADORES AL SAQUE.

✓ Objetivo: saque paralelo con desplazamiento nueve metros.

✓ Organización: tres jugadores, por línea de saque.

✓ Descripción: en posiciones de uno, seis y cinco de saque se ubica cada sacador, ejecuta el servicio, inmediatamente en carrera se desplaza hacia la línea de fondo del campo oponente, para regresar y de nuevo ejecutar un nuevo servicio. Puede variarse con el cambio de sector de saque.

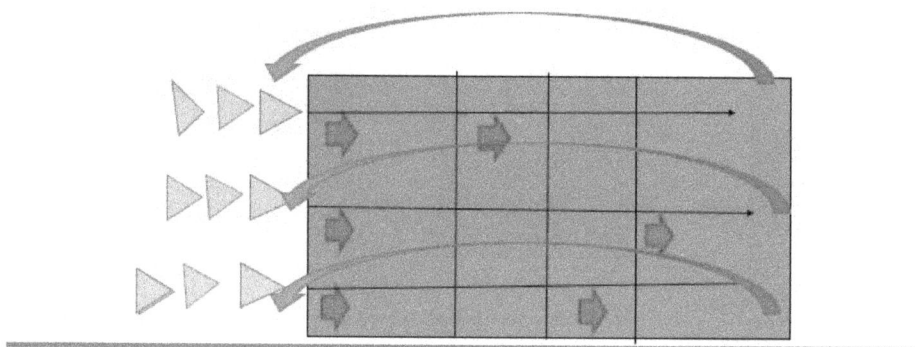

EJERCICIO 6:
SAQUES CONSECUTIVOS DESDE UNO A UNO

✓ Objetivo: repeticiones, resistencia, eficiencia.

✓ Organización: individual, caja porta balones y señalización externa.

✓ Descripción: a cada sacador ubicado en posición uno del saque se le asignan veinte balones, para dirigirlos hacia el sector uno del campo oponente, un compañero le distribuye los balones, como juego de competencia se puede contabilizar, con premios y correcciones.

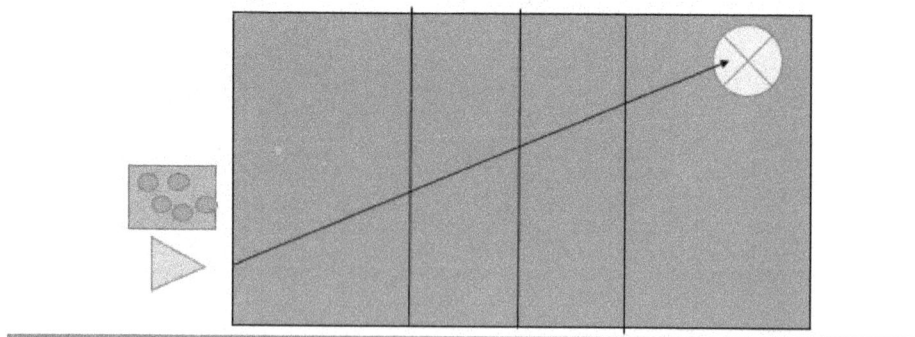

EJERCICIO 7:
SAQUES CONSECUTIVOS DESDE UNO HACIA CINCO

✓ Objetivo: repeticiones, resistencia, eficiencia

✓ Organización: individual, caja porta balones y señalización externa.

✓ Descripción: a cada sacador ubicado en posición uno del saque se le asignan veinte balones, para dirigirlos hacia el sector cinco del campo oponente, un compañero le distribuye los balones, como juego de competencia se puede contabilizar, con premios y correcciones.

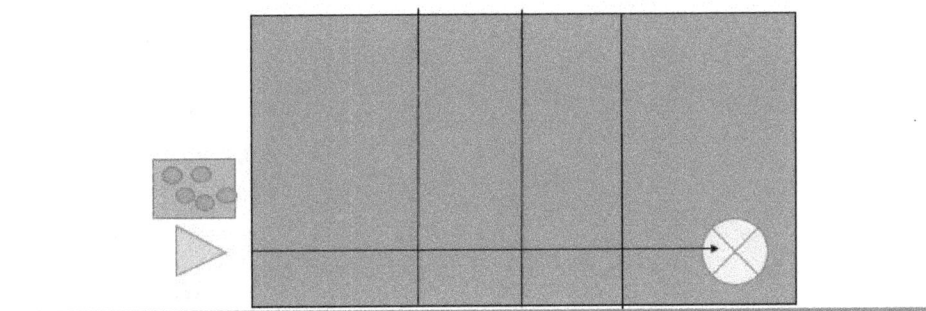

EJERCICIO 8:
SAQUES CONSECUTIVOS DESDE CINCO A CINCO Y DE SEIS A SEIS

✓ Objetivo: repeticiones, resistencia, eficiencia

✓ Organización: individual, caja porta balones y señalización externa.

✓ Descripción: a cada sacador ubicado en posición cinco o seis del saque se le asignan veinte balones, para dirigirlos hacia el sector cinco o seis del campo oponente, un compañero le distribuye los balones, como juego de competencia se puede contabilizar, con premios y correcciones

EJERCICIO 9:
SAQUES CONSECUTIVOS DESDE CINCO A UNO O A SEIS

✓ Objetivo: repeticiones, resistencia, eficiencia

✓ Organización: individual, caja porta balones y señalización externa.

✓ Descripción: a cada sacador ubicado en posición cinco del saque se le asignan veinte balones, para dirigirlos hacia el sector uno o seis del campo oponente, un compañero le distribuye los balones, como juego de competencia se puede contabilizar, con premios y correcciones

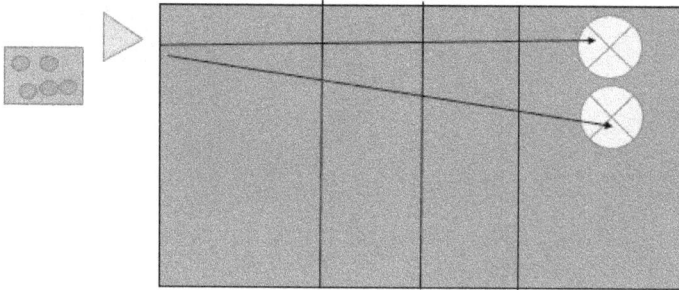

EJERCICIO 10:
SAQUES CONSECUTIVOS DESDE SEIS HACIA CINCO Y UNO

✓ Objetivo: repeticiones, resistencia, eficiencia

✓ Organización: individual, caja porta balones y señalización externa.

✓ Descripción: a cada sacador ubicado en posición seis del saque se le asignan veinte balones, para dirigirlos hacia el sector cinco o uno del campo oponente, un compañero le distribuye los balones, como juego de competencia se puede contabilizar, con premios y correcciones

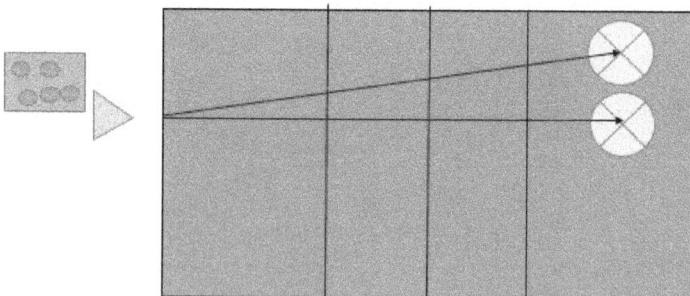

EDITORIAL WANCEULEN

24. GUÍA SISTEMÁTICA DE OBSERVACIÓN DE FALLAS TÉCNICAS DEL SAQUE

Esta guía nos permite evaluar la ejecución de los sacadores, en los segmentos corporales más sobresalientes del gesto, dividiéndolo en las fases antes del contacto, durante y después, para su mejor estudio, observación y corrección posterior, más focalizada. Analiza muchos elementos que intervienen en la ejecución, por lo cual arrojará mayor información para el entrenador. Como son acciones muy puntuales de ejecución de partes del cuerpo con relación a fuerzas, movimientos, direcciones. Nos dedicaremos solo a dos calificaciones como: (SI) entendiendo por esta, que sí se ejecuta, realiza, desarrolla y (NO) entendiendo como no realiza, no ejecuta. La observación sistemática de las fallas técnicas de los servidores, es el complemento objetivo de una visión rápida y a veces dudosa de los entrenadores en la búsqueda de errores en sus jugadores, les sirve para retroalimentar el proceso de enseñanza en el día a día, con correcciones permanentes, oportunas y reales de ejecución. Se diferencia muy bien los momentos del gesto, por lo tanto también diferencia en el lugar o movimiento de la falla técnica.

SAQUE POR ABAJO		
1. El balón se golpea verticalmente hacia arriba.	SI	NO
2. Se flexiona el codo al golpear.	SI	NO
3. Mal lanzamiento del balón.	SI	NO
4. Se levanta y golpea el balón, demasiado cerca del cuerpo.	SI	NO
5. Falta de flexión en rodillas.	SI	NO
6. Posición incorrecta de piernas.	SI	NO
7. Posición errónea de la mano.	SI	NO
8. El golpe no se realiza de forma recta hacia delante y arriba.	SI	NO
9. La no utilización, del balance del cuerpo al golpear.	SI	NO
10. Golpeo a destiempo, del balón.	SI	NO
11. No hay vista al campo contrario.	SI	NO
12. La falta de concentración.	SI	NO
13. No terminar después del golpe, en posición de juego.	SI	NO

SAQUE POR ARRIBA		
1. El balón se lanza muy alto, o muy corto.	SI	NO
2. El balón se lanza exageradamente, hacia atrás o adelante.	SI	NO
3. El balón se lanza incorrectamente, hacia la derecha o la izquierda.	SI	NO
4. El balón es golpeado solo por los dedos.	SI	NO
5. El balón no es golpeado, entre el frente y o abajo.	SI	NO
6. El movimiento de atrás-arriba y adelante del brazo ejecutor, es incorrecto.	SI	NO
7. Golpeo a destiempo del balón.	SI	NO
8. Posición incorrecta de piernas.	SI	NO
9. El brazo ejecutor, no golpea en extensión completa, por encima de la cabeza.	SI	NO
10. Punta de pie adelantado, en dirección equivocada.	SI	NO
11. No hay torsión o arqueamiento de espalda.	SI	NO
12. No hay concentración mental, al momento del saque.	SI	NO
13. El cuerpo no termina en posición de juego.	SI	NO

BIBLIOGRAFÍA

- Alcaraz, Jorge. Badalona España: Editorial Paidotribo. 2011.
- Arruda, Miguel de, Fisiología Do Voleibol, Sao Paulo, Brasil, Editora Porte, 2008
- Bachmann, Edi y Martin. 1000 Ejercicios y Juegos de Voleibol. Barcelona: Editorial Hispano Europea, 1995.
- Borroto, Evelina y coautores. Voleibol 1. La Habana. Editorial Pueblo y Educación, 1992.
- Bossi, C. Luis, Musculacao para o Voleibol, Sao Paulo Brasil, Editora Porta, 2008
- Carvalho, Oto Moravia de, Voleibol, 1000 exercicios, Rio de Janeiro, Brasil, 2008
- Drausschke, K. Kroger, Christian: El entrenador de voleibol Editorial Paidotribo, Barcelona 1.894.
- Fiedler, Marianne. Voleibol. La Habana: Editorial Pueblo y Educación, 1979.
- FIVB; Apunte Técnico, Top Volley (Federación Internacional de Voleibol), 2002
- FIVB; Coach Digest (Federación Internacional de Voleibol), 1997
- FIVB; Manual para Entrenadores (Federación Internacional de Voleibol), 2011.
- García, G. Luis, Voleibol Fundamentación. Armenia Colombia, Editorial Kinesis, 2013.
- González, Yennys. Biomecánica y Técnica del Voleibol. Bogotá: Editorial Marbella, 1991.
- Grupo de Estudio Kinesis, Armenia: Editorial Kinesis, 2000.
- Hernández, L: Voleibol Editorial Comité Olímpico Español, Madrid 1.922.
- Herrera, Gilberto.Voleibol. Bilbao: Editorial Bilbao, 1996.
- Hessing, Walter. Voleibol para Principiantes. Barcelona: Paidotribo, 1994.

EDITORIAL WANCEULEN

- Lucas, Jeff. El Voleibol. Barcelona: Editorial Paidotribo, 1997.

- Memorias; Seminario Taller Características Técnicas, Físicas y Metodológicas del Voleibol Contemporáneo Universidad Tecnológica d Pereira, 2004.

- Molina, juan. Voleibol Táctico. Badalona España: Editorial Paidotribo, 2009.

- Moras, Gerard. La Preparación Integral en el Voleibol. Barcelona: Editorial Paidotribo, 2000.

- Ramos, J. Herrera, G. Bernal, H. Borroto, E: Voleibol 1 Editorial Pueblo y Educación, (Ciudad de la Habana, 1992.

- Torrento, N: Voleibol, Editorial Comité Olímpico Español, Madrid, 1.992.

- Villar, ramiro y coautores. Voleibol. España: Editorial Comité Olímpico Español, 1992

- Wise, Mary. Voleibol. Florida u.s.a: Editorial Hispano Europea, 2003.

- Zhelezniak; Y.D, Klesshev, o.s: La preparación de los voleibolistas, Editorial Científico – Técnica Ciudad de la Habana, 1969.

www.ingramcontent.com/pod-product-compliance
Lightning Source LLC
Chambersburg PA
CBHW080600090426
42735CB00016B/3301